# EL ENIGMA DE LOS OLMECAS Y LAS CALAVERAS DE CRISTAL

# El enigma de los Olmecas y las Calaveras de Cristal

David Hatcher Childress

nowtilus

**Colección:** Historia Incógnita
www.historiaincognita.com

**Título:** El enigma de los olmecas y las calaveras de cristal
**Autor:** © David Hatcher Childress

Copyright de la presente edición: © 2009 Ediciones Nowtilus, S.L.
Doña Juana I de Castilla 44, 3º C, 28027 Madrid
www.nowtilus.com

**Editor:** Santos Rodríguez
**Coordinador editorial:** José Luis Torres Vitolas

**Diseño y realización de cubiertas:** Carlos Peydró
**Diseño del interior de la colección:** JLTV
**Maquetación:** Claudia Rueda Ceppi

**ISBN-13:** 978-84-9763-589-9
**Fecha de edición:** Mayo 2009

**Printed in Spain**
**Imprime:** Graphycems
**Depósito legal:** NA-1137-09

# Índice

# Capítulo 1
# El misterio del origen de los olmecas

El progreso del hombre en México no delata ninguna influencia del viejo continente durante este periodo (del 1000 al 650 a.C.) excepto por un marcado sustrato negroide vinculado a los magos (sumos sacerdotes).
—Frederick Peterson, Ancient Mexico (1959)

## EL EXTRAÑO MUNDO DE LOS OLMECAS

Los olmecas constituyen el misterio más antiguo y, quizás, el
más grande de los albores de México y América del Norte en general.
En la actualidad, los arqueólogos a menudo se refieren a ellos como
protomayas u *olmecas*, que significa «habitantes de la Olman», es
decir, de la «tierra olmeca» como ahora se la denomina. Cuando se
observan las enigmáticas pinturas rupestres, las colosales cabezas
talladas a la perfección, el característico «ceño fruncido» y la
apariencia violenta y bélica de los olmecas, es inevitable preguntarse
quiénes son estos extraños personajes.

La reconstrucción del extraño mundo de los olmecas no
comenzó sino hasta ahora. Su arte generalmente los muestra con
cascos de piel, rostros grandes, labios gruesos y narices anchas, con
una expresión hosca. Fácilmente se los puede comparar con un
montón de enfurecidos jugadores de rugby africanos, tal vez de Nige-

9

ria o Tanzania. Mientras que la mayoría de los arqueólogos asegura que los africanos jamás colonizaron México o Centroamérica, el hombre promedio que observa estas estatuas y cabezas no logra entender cómo los académicos pueden incurrir en una aseveración a todas luces errónea, que en esencia ni siquiera es científica. Si bien el consenso académico es contarle a los estudiantes y a los turistas que no se trata de africanos, no puede hacerse otra cosa que concluir que los académicos están ciegos, locos, o ambas cosas a la vez.

Lo fascinante de esta civilización enigmática para los observadores modernos es la forma en que se autorretrataron. Además de las facciones negroides, en muchos objetos se ven representados individuos con rasgos orientales o europeos. Por lo tanto, es muy interesante analizar con detenimiento el modo en que se presentan las figuras: la forma en que están vestidas, lo que llevan puesto en la cabeza, la forma de los ojos, nariz, orejas y boca, la posición de las manos, las expresiones en el rostro. Todo constituye un arte maravilloso en su máxima expresión. La gestualidad y el simbolismo en los objetos que sostienen o con los que interactúan parecen indicar un elevado nivel de sofisticación y el uso de una iconografía compartida… ¿Qué significa todo esto? ¿Quiénes son estas personas? ¿Eran aldeanos aislados o forasteros de una tierra remota?

## El descubrimiento de los olmecas

Hasta los años treinta, se sostenía que la civilización maya era la más antigua del continente americano. La enorme cantidad de monumentos, estelas, alfarería, estatuas y otros objetos mayas que se hallaron a lo largo de Yucatán, Guatemala y la costa del Golfo de México había convencido a los arqueólogos de que la maya era la civilización madre de Centroamérica.

Pero algunas supuestas piezas de la cultura maya eran levemente distintas de las demás. Una de las diferencias consistía en que algunas grandes esculturas de cabezas tenían rostros con facciones más africanas que muchos de los otros elementos mayas. Las pinturas y esculturas mayas suelen ser bastante variadas, pero las facciones africanas claramente no constituían una característica del arte de ese pueblo. Las cabezas de aspecto africano a menudo exhibían el ceño fruncido y llevaban máscaras o parecían ser bestias mitad jaguar, mitad humanas. Este motivo recurrente no encajaba con otros hallazgos de la cultura maya.

En 1929, Marshall H. Saville, el director del Museo del Indio Americano en Nueva York, clasificó esas piezas como pertenecientes a una cultura completamente nueva, sin herencia maya. De una forma un poco impropia, denominó a esta cultura *olmeca* (término acuñado en 1927), que significa «gente del país del hule» en náhuatl, el idioma de los mexicas (aztecas). La mayoría de esos primeros objetos diferentes se halló en las regiones de Tabasco y Veracruz, en el sur de México, una zona pantanosa que se explotaba para extraer gas natural pero que en tiempos ancestrales había sido una fuente de caucho. Los antiguos mesoamericanos, desde los olmecas hasta los aztecas, extraían látex de *Castilla elastica*, un tipo de árbol de caucho de la zona. Ya en 1600 a.C. (y posiblemente antes) se mezclaba el zumo de una enredadera regional, la *Ipomoea alba*, con el látex extraído para crear hule. Los habitantes de la zona que vivieron allí en épocas posteriores, bajo el dominio azteca, fueron denominados «olmecas» por ellos.

Actualmente se atribuye a los olmecas la creación del juego de pelota que fue tan importante en todas las civilizaciones mesoamericanas y también la creación de las pelotas de hule que se utilizaban en ese juego. Este podría ser aún más antiguo que los propios olmecas. La popularidad de los campos de juego y el juego de pelota maya-olmeca se extendió hacia el norte, hasta Arizona y Utah, y hacia el sur hasta Panamá.

Según el prestigioso arqueólogo mexicano Ignacio Bernal, se advirtió la existencia del arte olmeca por primera vez en 1869; sin embargo, como se mencionó anteriormente, la palabra *olmeca*, o el término «gente del país del hule», comenzó a utilizarse en 1927. Como era de esperar, un grupo de prominentes arqueólogos mayistas, entre los que se encontraba Eric Thompson —quien ayudó descifrar el calendario maya—, se rehusó a creer que esta nueva cultura llamada olmeca fuera anterior a la maya. No fue sino hasta una reunión especial en Ciudad de México en 1942 que se determinó con amplio consenso la precedencia de los olmecas con respecto a los mayas. De todas maneras, la fecha de nacimiento de la cultura olmeca continuaría siendo objeto de gran discusión.

En el libro *Historia de la arqueología de México,* Bernal sintetiza este curioso episodio arqueológico:

> Hoy en día parece casi increíble que lo que ahora denominamos cultura olmeca fuera absolutamente desconocida, excepto por un par de menciones aisladas (Melgar, 1869, 1871), los estudios de pequeños hallazgos (Saville, 1902, 1929), o viajes tales como los de Blom y La Farge (1925) o Weyerstall (1937). No fue sino hasta 1938 que el Instituto Smithsonian y la National Geographic Society comenzaron a explorar la región bajo la dirección entusiasta de Matthew Stirling. En pocos años la exploración (no del todo completa) de Tres Zapotes y La Venta arrojó los resultados más sensacionales. Los extraordinarios monolitos encontrados en estas ciudades y en otros sitios de la región (a los que pronto Stirling agregaría los descubrimientos igual de maravillosos del Cerro de las Mesas, lugar que no es olmeca en realidad, si bien las piezas encontradas allí sí lo son) ocasionaron un gran revuelo en el ámbito arqueológico y plantearon una serie de problemas de gran importancia para la comprensión del pasado.
>
> Tal vez el primero de estos problemas fuera: ¿en qué periodo podemos ubicar a esta cultura? ¿Forma parte del horizonte al que todavía se denominaba arcaico? ¿Se trata de la cultura madre de Mesoamérica, precursora de los mayas y de otras civilizaciones, o es una cultura local tardía correspondiente a los olmecas «históricos» que describen las fuentes escritas? Cada una de estas preguntas, obviamente relacionadas entre sí, generó una respuesta distinta.
>
> La postura algo escéptica de Eric Thompson, el más destacado de los mayistas (1941), y de muchos otros con respecto a la antigüedad de los olmecas se basó mayormente en su negativa a aceptar la idea de que las inscripciones en piedra, como las de la estela C encontrada en Tres Zapotes, fueran tan antiguas, y la posibilidad de que fueran incluso anteriores al calendario maya. En efecto, el descubrimiento de que el calendario maya

no es maya en sentido estricto, sino que estaba en uso antes de que se realizaran las primeras inscripciones en Uaxactún, fue uno de los cambios básicos que tuvo lugar en términos de datación arqueológica. De acuerdo con esta información, los mayas no hicieron más que ampliarlo, refinarlo y mejorarlo. La fecha inicial inscrita en la estela C fue motivo de gran controversia, pero ya casi no hay dudas sobre ella. La teoría de Stirling, elaborada incluso antes del descubrimiento de la otra mitad de la estela, es la correcta. Esto no solo prueba que había tenido razón en creer que databa de un pasado tan remoto —de hecho, ahora se nos revela como, a lo sumo, demasiado reciente—, sino también que la cultura olmeca en su totalidad es anterior a la maya. En su momento, esa idea constituyó un anatema porque, tal como se mencionó anteriormente, casi todos los esfuerzos del Carnegie y de otras instituciones, en especial las norteamericanas, habían estado concentrados en la investigación maya. En ese entonces, la opinión consensuada era que la cultura maya no solo era la más antigua sino que, además, todas las otras civilizaciones mesoamericanas derivaban de ella.

En la reunión que celebró la Sociedad Mexicana de Antropología en 1942 para debatir la cuestión de los olmecas, los arqueólogos, entre los que se encontraba Stirling, con Caso, Covarrubias y Noguera a la cabeza, sostuvieron que los olmecas formaban parte del horizonte arcaico. Caso afirmó que, «sin lugar a dudas, la cultura olmeca es la madre de otras tales como la maya, la teotilitiacin y la de El Tajín» (1942:46). «Mientras que otros complejos culturales comparten rasgos "olmecas", este estilo no contiene vestigios o elementos tomados de otras culturas, excepto por aquellas conocidas como arcaicas» (1943:48), sostuvo Covarrubias. Vaillant fue uno de los pocos norteamericanos que respaldó estas teorías, y lo hizo porque, en el transcurso de su esmerada y conocida labor sobre la Meseta Central, se topó con estatuillas arcaicas extremadamente parecidas a las olmecas. Eric Thompson, por otra parte, pensaba que los olmecas constituyeron una cultura tardía perteneciente a lo que hoy se denomina periodo Posclásico.

El término olmeca, utilizado por primera vez por Beyer en 1927 para designar este estilo de arte en particular, prevaleció hasta el día de hoy, sin bien podría no ser correcto. Da lugar a confusión ya que se lo tomó de fuentes históricas que utilizaban el término olmeca para designar pueblos muy posteriores. En 1942 Jiménez Moreno aclaró el tema: demostró que el nombre olmeca se refiere a los habitantes de las áreas ricas en caucho, pero aun así es necesario distinguir claramente entre aquellos a quienes se denominó olmecas recientemente y los olmecas arqueológicos. Por esta razón, él propuso que se los llamara "el pueblo de La Venta" para evitar confusiones. Pero el nombre original no pudo eliminarse y es el que se utiliza hoy en día.

En la Mesa Redonda de Tuxtla de 1942, se dio otra fecha de nacimiento provisoria para los olmecas alrededor del 300 a.C. Pero un trabajo un poco posterior en San Lorenzo, llevado a cabo con la ayuda de un análisis de radiocarbono —cuyo uso se estaba extendiendo en el área—, permitió demostrar que 1200 a.C. era una datación más realista. Encajaba perfectamente con lo que se estaba descubriendo en toda Mesoamérica. Es una parte del proceso general que ya estuvo sujeta a debate. Los académicos del siglo XIX han propuesto fechas extraordinariamente remotas para los pueblos prehispánicos, lo que generó en este siglo una oposición vigorosa que finalmente abrevió sus existencias de manera radical. Pero después de 1950, esta dificultad se resolvió mediante el uso de técnicas de datación que no son necesariamente arqueológicas.

Muchos problemas relacionados con la cultura olmeca todavía siguen sin resolverse, pero su existencia e importancia ya están fuera de discusión. La exploración de una cantidad de sitios fuera de las áreas limitadas que ya mencioné contribuyó a un importante debate sobre la arqueología mesoamericana en su totalidad. Las investigaciones se centraron principalmente en la arquitectura, la escultura y la alfarería, sin prestar demasiada atención a aquellos márgenes que podrían llamarse etnológicos. Sin embargo, los resultados fueron asombrosos, y para 1950 se contaba con una enorme cantidad de material listo para su análisis.

Se había descubierto a los olmecas. Sin embargo, este descubrimiento generó más interrogantes que certezas. El descubrimiento de los olmecas parece haber puesto en duda muchas creencias arraigadas sobre la prehistoria americana. De repente, había un pueblo de apariencia diversa que creó esculturas monumentales con un talento asombroso, los verdaderos inventores del sistema numérico y del alfabeto que utilizaban los mayas, del juego de pelota con pelotas de hule y que hasta conocían la rueda (como lo demuestran los juguetes hallados).

Así, un mayor enigma se cernía sobre los arqueólogos: ¿Quiénes fueron los olmecas?

## ¿Quiénes fueron los olmecas?

Bernal continuó su investigación sobre los olmecas y publicó en 1968 *El mundo olmeca*, el único estudio importante sobre esta cultura centroamericana ancestral. En su libro, Bernal analiza los insólitos hallazgos que se le atribuyeron a los olmecas en todo el territorio sur de México y Centroamérica, en sitios tan australes como Guanacaste en Nicaragua. Sin embargo, no logró dilucidar el origen de este pueblo tan particular cuyo arte representaba hombres barbados, cabezas con rasgos africanos y jeroglíficos indescifrables. Bernal creía que incluso lugares tan característicos de la cultura maya como Uaxactún y El Mirador habían sido habitados anteriormente por los olmecas.

Por otra parte, arqueólogos ortodoxos como el afamado escritor británico Nigel Davies sostienen que no es posible que los olmecas hayan surgido a partir del contacto intercultural a través del Atlántico o del Pacífico. Davies afirma: «Dejando de lado las ideas románticas sobre la migración marítima de los olmecas, persistía el interrogante sobre el sitio exacto en el que se originaron en México, ya que posteriormente residieron en casi la totalidad del territorio de ese país. La cuestión se discutió enérgicamente; Miguel Covarrubias estaba convencido de que los olmecas comenzaron a desarrollarse en el estado de Guerrero, a la vera del Pacífico, pero su hipótesis tuvo poca repercusión. Otros, con el mismo afán, insistían en que los olmecas se habían originado en las tierras altas de México. Sin embargo, en la actualidad hay amplio consenso en la creencia de que su asiento o morada principal estaba ubicado en la tierra del hule, en la zona sur de Veracruz y Tabasco».

Colosal cabeza excavada en La Venta en 1945.

Mathew Stirling analizando esta colosal cabeza en Tres Zapotes (1939).

Fundamentalmente, Davies dice que los olmecas se originaron en Monte Albán, en las tierras altas de Oaxaca, Oxtotitlán o Juxtlahuaca, cerca de Acapulco sobre el Pacífico, o tal vez en Tres Zapotes y La Venta, en los pantanos que rodean el Golfo de México. En todas esas áreas hubo emplazamientos olmecas.

La idea de que las insólitas cabezas con rasgos negroides podrían haber surgido como resultado de exploraciones africanas parece ser totalmente ajena a los historiadores y arqueólogos que se dedican a la arqueología americana. A pesar de los retratos de diversos nobles, reyes, viajeros, magos y quienquiera que fuera con aspecto africano, chino, europeo barbado, u otros forasteros, la mayoría de los académicos de nuestras universidades más importantes concuerdan en que no hay evidencia de exploradores precolombinos en la antigüedad. Sí admiten que esa idea podría haber nacido de una interpretación superficial de esa variedad de estatuas y grabados.

De manera que, incluso para la mayoría de los historiadores, el origen de los olmecas constituye un misterio. En el ámbito de la historia alternativa, en la actualidad existen varias teorías acerca de cómo los rasgos africanos llegaron a Centroamérica. Una de ellas sostiene que hay un vínculo con la Atlántida y que, como parte de la clase guerrera de esa civilización, los olmecas eran fuertes y recios. O quizás formaban parte de una colonia egipcia en Centroamérica —o de una colonia de algún otro ignoto imperio africano. Hay quienes sugieren que cruzaron el Pacífico desde el continente perdido de Mu, o que se trataba de mercenarios chinos de la dinastía Shang. Del mismo modo, curiosamente se asocia a los magos (o hechiceros chamanes que utilizan hongos mágicos y otros alucinógenos) con muchas estatuas olmecas: ¿se habrá tratado de magos de África, China, o incluso la Atlántida?

Mathew Stirling (en el centro) y sus colegas frente a una de las colsales cabezas de San Lorenzo en 1946.

## ¿Fueron los olmecas colonizadores transoceánicos?

Se ignora el nombre con el que los olmecas se autodenominaban; algunos relatos mesoamericanos posteriores se refieren a los antiguos olmecas como los «tamoanchanes». En general, se considera que el periodo clásico de los olmecas se extiende desde el 1200 a.C. hasta alrededor del 400 a.C. Algunos objetos didácticos de los olmecas se remontan al 1500 a.C., y tal vez antes.

Nadie sabe de dónde provienen los olmecas, pero las dos hipótesis predominantes son:

1. Se trata de aborígenes americanos descendientes del mismo linaje siberiano que la mayoría de los indígenas americanos, y en ellos por casualidad se acentuó el material negroide que se encontraba latente en sus genes.

2. Eran extranjeros que emigraron a la región de Olman en embarcaciones, ya sea en calidad de marineros o de pasajeros en viajes transoceánicos que probablemente tuvieron lugar durante siglos.

En el centro de la discusión sobre el origen de los olmecas se encuentra la clásica lucha entre los aislacionistas (quienes creen que el hombre antiguo no era capaz de realizar viajes transoceánicos y, por lo tanto, casi la totalidad de las culturas ancestrales se desarrolló por cuenta propia) y los difusionistas (quienes consideran que en la antigüedad el hombre podía cruzar los océanos, lo que explica las similitudes en culturas tan diversas). En el ámbito académico tradicional hay algunos defensores del difusionismo. Ivan van Sertima, de la universidad Rutgers de Nueva Jersey, promueve activamente la teoría difusionista según la cual el hombre antiguo estableció contacto durante un tiempo prolongado con los otros continentes mediante el cruce de los océanos Atlántico y Pacífico. En sus libros *African Presence in Early America* y *African Presence in Early Asia* abundan artículos y fotografías que demuestran sin lugar a dudas que la raza negra vivió, literalmente, en todo el mundo, incluido el antiguo continente americano. Van Sertima no postula teorías tan poco ortodoxas como la de la Atlántida o la del continente perdido en el Pacífico, sino que claramente establece que los negros de tiempos ancestrales desarrollaron muchas civilizaciones avanzadas y vivieron en todo el globo.

Lamentablemente, la mayoría de los autores del ámbito académico prefiere abogar por las teorías aislacionistas, lo que prácticamente implica la exclusión del difusionismo. En el brillante libro de Richard A. Diehl publicado recientemente, *The Olmecs: America's First Civilization*, el autor dedica al tema un solo párrafo:

> Los orígenes de la cultura olmeca intrigaron de igual modo a los especialistas y a los legos desde el descubrimiento en Veracruz, hace 140 años, de la cabeza colosal número 1 de Tres Zapotes, una gigantesca cabeza humana con vagas facciones negroides. Desde ese momento, la cultura y el arte olmeca se atribuyeron a marineros africanos, egipcios, fenicios, japoneses, chinos, habitantes de Nubia, de la Atlántida, y otros viajeros de tiempos ancestrales. Como suele suceder, la verdad es infinitamente más lógica y menos romántica: los olmecas eran aborígenes americanos que crearon una cultura única en el sureste mexicano, en el Istmo de Tehuantepec. En la actualidad, los arqueólogos sitúan los orígenes olmecas en culturas anteriores de la región y no cuentan con evidencia certera de intrusiones significativas desde el exterior. Además, en ningún sitio arqueológico olmeca, ni en ningún otro lugar de Mesoamérica, apareció ni un solo artículo genuino del Viejo Mundo.

Con este párrafo, Diehl descarta sintéticamente todas las teorías y evidencias de contacto transoceánico. En realidad, se desconoce a qué denomina artículo *genuino*, ya que, como se verá más adelante, los artículos del Viejo y del Nuevo Mundo con frecuencia son idénticos. Además, el autor no proporciona más datos sobre las culturas anteriores de las que supuestamente descienden los olmecas.

Para que los olmecas fueran realmente africanos —y no solo tuvieran el aspecto de los habitantes de ese continente— tendrían que haber llegado al Istmo de Tehuantepec por barco. Pero como la idea de semejantes viajes se descarta inmediatamente y no se le da mayor análisis, los olmecas simplemente deben haber sido muchachos del

Ignacio Bernal junto al Altar Número 4 en La Venta, 1967.

lugar que muy probablemente estuvieron allí desde siempre. En un momento de la prehistoria remota, un grupo ingresó al área olmeca portando sus características genéticas.

Según Diehl, los olmecas habrían sido además un grupo aislado en su región, con muy poco contacto con otras tribus del Istmo de Tehuantepec. Dice este autor:

> No sabemos cómo se llamaban a sí mismos, ni siquiera si tenían un término que incluyera a todos los habitantes de Olman. No hay pruebas de que conformaran un grupo étnico unificado, y casi con seguridad podemos afirmar que los olmecas no reconocían como miembros de su grupo a quienes vivieran a unas horas de distancia a pie. De todas maneras, las innumerables culturas locales independientes eran tan parecidas entre sí que los científicos modernos las consideran una sola cultura genérica.

Vale la pena repetir la fuerte afirmación: «...casi con seguridad podemos afirmar que los olmecas no reconocían como miembros de su grupo a quienes vivieran a unas horas de distancia a pie». Si los olmecas estaban aislados de sus vecinos de los que los separaban solo unas horas a pie, seguramente no establecieron contacto con pueblos del otro lado del océano, ¿verdad? Más adelante se analizará en este libro con mayor detenimiento la exactitud de esta idea, la que goza de amplia aceptación en muchas universidades —si bien existe una gran posibilidad de que sea una creencia errónea.

Los asentamientos olmecas, según Diehl, surgieron en forma independiente en un rincón de Mesoamérica sin la influencia de ninguna otra cultura. De la nada, comenzaron a construir monumentales estatuas de basalto (una de las rocas más duras y difíciles de tallar) y a levantar estructuras enormes con sofisticados sistemas de drenaje. Pero, en realidad, no estuvieron vinculados a sus vecinos ancestrales. La expansión de los artículos de aspecto olmeca se produjo con posterioridad, cuando otras culturas más difundidas adoptaron lo que podría denominarse estilo olmeca.

Cuando en enero de 2007 se anunció el descubrimiento de una ciudad con influencia olmeca cerca de Cuernavaca, a cientos de kilómetros de Zazacatla, territorio olmeca en la costa del Golfo de

México, quedó demostrado que Diehl no estaba en lo cierto. En ese momento, se afirmó que «una ciudad de 2500 años de antigüedad con influencia olmeca, a menudo denominada la cultura madre de Mesoamérica, fue descubierta a cientos de kilómetros del territorio olmeca en la costa del Golfo de México, declararon los arqueólogos». (*National Geographic News*, 26 de enero de 2007).

Los arqueólogos entonces llegaron a la conclusión de que los olmecas habitaron una zona muy extensa del sur de México, mucho más grande de lo que se había imaginado; de todos modos, se volverá sobre este tema en el último capítulo de este libro. El hallazgo no fue en realidad tan sorprendente si se tiene en cuenta la excavación de la ciudad olmeca de Chalcatzingo cerca de Ciudad de México y la publicación de ese descubrimiento en los años setenta.

Por lo tanto, el peso de la evidencia demuestra que los olmecas conocían bien las poblaciones cercanas y sabían de la existencia de ciudades y pueblos bastante alejados. ¿Conocerían también la existencia de las civilizaciones transoceánicas?

El libro de Diehl, ya obsoleto pese a que se publicó en 2004, es una lectura interesante aunque improductiva. El autor no solo se rehúsa a plantear el tema de los rasgos negroides y del contacto transoceánico, sino que, excepto por una breve mención (véase más abajo), tampoco hace referencia a la deformación craneana, uno de los hábitos más llamativos de las culturas olmeca y maya, el que también se observa en muchas otras culturas del mundo.

Los olmecas compartían muchas características inusuales con los mayas y con otras culturas transoceánicas, tales como la veneración por el jade y las plumas exóticas, el consumo de hongos y otras drogas alucinógenas y el uso de jeroglíficos en las estelas de piedra como indicadores.

Sobre los objetos hallados en el cementerio olmeca de Tlatilco, dice Diehl:

> Una mujer de clase alta yacía junto a 15 vasijas, 20 estatuillas de arcilla, 2 trozos de jade verde brillante pintado de rojo que podrían haber formado parte de un brazalete, una placa de hematita cristalina, un fragmento óseo con restos de pintura, y varias rocas. En otra sepultura se hallaron los

restos de un hombre cuyo cráneo había sido modificado deliberadamente en la infancia y con los dientes recortados con diseños geométricos en la adultez. Podría tratarse de un chamán ya que los objetos ubicados a su lado parecían elementos relacionados con el uso de sus poderes. Entre ellos había pequeños metates para triturar hongos alucinógenos, efigies de arcilla con forma de hongos, cuarzo, grafito, resina, y otros artículos exóticos que podrían haber sido utilizados en rituales de curación. Una espléndida botella de cerámica ubicada en la tumba ilustraba a un contorsionista o acróbata descansando boca abajo con las manos sosteniendo la barbilla y las piernas dobladas de tal manera que los pies tocaban la parte superior de la cabeza. ¿Podría ser esa una representación del ocupante real de la tumba?

Diehl parece entusiasmarse con los olmecas. ¿Es posible que fueran chamanes jaguar psicodélicos que construían cabezas colosales para mantenerse ocupados en algo?

Los olmecas, desde cualquier punto de vista, son fantásticos, apasionantes, desconcertantes, psicodélicos, y en algunos casos, gente sencillamente extraña. Se desconoce su origen. Se desconoce por qué se instalaron allí. Se desconoce cuál era su misión, por llamarla de alguna manera. En síntesis, no es mucho lo que se sabe sobre ellos. Todo lo que sabemos es que son un pueblo antiguo y que eran extraños.

Si bien es fácil ver a los olmecas como protomayas y ciudadanos de Olman (más allá de lo extenso que haya sido ese territorio), vale la pena considerarlos como los fantásticos protomesoamericanos que pueden haber sido: forasteros psicodélicos que utilizaban láseres para tallar cabezas colosales de basalto; refugiados de la Atlántida que hicieron una última parada en Tabasco; mercenarios chinos de la dinastía Shang llevados desde África oriental o Melanesia y entrenados especialmente para administrar los puertos del Pacífico (y, más adelante, del Atlántico) del Istmo de Tehuantepec; tal vez un pueblo africano que arribó al continente por el Atlántico, quizás como fuerza militar proveniente de Egipto o del África occidental alrededor del 1500 a.C. Las posibilidades son muchas.

Estela Número 2 de La Venta.

Por lo tanto, con una mente abierta, observemos los misterios de los olmecas, su fantástico arte, su tecnología sofisticada, sus inusuales sistemas numérico y de escritura y otras costumbres. Lo que sea que hallemos, podría resultar sorprendente. Es posible que lleguemos a considerarlos genios, aunque en muchas otras culturas tuvieron ideas asombrosamente similares a las de ellos.

## OLMAN: LA TIERRA DE LOS OLMECAS

Se dice que los olmecas ocuparon «la tierra de Olman», designación que los aztecas utilizaban para describir las zonas selváticas de la costa cercana. Según la definición tradicional, los olmecas eran un pueblo precolombino que vivió en las tierras bajas meridionales de la región del centro sur de México, aproximadamente en lo que hoy en día son los estados de Veracruz y Tabasco en el Istmo de Tehuantepec. Sin embargo, su influencia cultural inmediata se extendió mucho más, ya que se encontraron expresiones de su arte en zonas tan lejanas como El Salvador y Costa Rica.

Se cree que la región central olmeca estaba ubicada en un área en la llanura de la costa del Golfo de México al sur de Veracruz y Tabasco. Esto se debe a que la zona es conocida por la gran concentración de monumentos olmecas así como de una gran cantidad de emplazamientos de ese pueblo. Se considera a esa zona el extremo norte del imperio maya, con lugares tales como Comalcalco, la ciudad maya más septentrional de la costa del golfo del Istmo de Tehuantepec.

Esta área central de los olmecas se extiende por 200 kilómetros a lo largo y 80 kilómetros a lo ancho, y está atravesada por el río Coatzacoalcos. Se caracteriza por tierras bajas pantanosas interrumpidas por las crestas de colinas bajas y volcanes. Al norte se alzan bruscamente las montañas de Tuxtla, a lo largo de la Bahía de Campeche. Allí, los olmecas construyeron ciudades templo permanentes en varios lugares: San Lorenzo Tenochtitlán (más conocido como San

Lorenzo), Laguna de los Cerros, Tres Zapotes, La Mojarra y La Venta.

También tuvieron gran influencia más allá del área central, desde Chalcatzingo, bien hacia el oeste en las tierras altas de México, hasta Izapa, en la costa del Pacífico, cerca de lo que ahora se conoce como Guatemala. Se han hallado artículos olmecas por toda Mesoamérica durante este periodo, incluso en el sur a lo largo de la costa del Pacífico de El Salvador y Costa Rica.

El dominio olmeca se extendía desde las montañas de Tuxtla en el oeste hasta las tierras bajas de Chontalpa en el este, una región con marcada diversidad geológica y ecológica. En esta región se hallaron más de 170 monumentos olmecas, el 80 por ciento de los cuales estaba ubicado en los tres centros olmecas más grandes: La Venta, en el estado de Tabasco (38 por ciento), San Lorenzo, en Veracruz, (30 por ciento), y Laguna de los Cerros, también en el estado de Veracruz, (12 por ciento).

Los tres asentamientos mencionados se ubicaban de este a oeste a lo largo del territorio, de manera que cada uno pudiera explotar, controlar y contribuir con una variedad distinta de valiosos recursos naturales a la economía olmeca. El asentamiento oriental de La Venta se encontraba ubicado cerca de la zona fértil de estuarios de la costa y puede haber provisto al pueblo de cacao, caucho y sal. Desde San Lorenzo, ubicado en el centro de la zona de influencia olmeca, era posible controlar la extensa planicie inundable de la cuenca de Coatzacoalcos y las rutas de intercambio que se extendían a lo largo del río.

La posición de Laguna de los Cerros, próxima a las montañas de Tuxtla, era estratégica para la obtención de basalto, un mineral esencial para la fabricación de manos y metates y hasta de monumentos. Quizás fueran las alianzas matrimoniales entre los distintos centros olmecas las que contribuyeron a mantener semejante red cooperativa.

## El Istmo de Tehuantepec

El centro de la zona de influencia olmeca es, geográficamente, la zona más estrecha de México. Una zona de gran importancia si se quería establecer una ruta interoceánica. Esta estrecha zona del sur mexicano se conoce como Istmo de Tehuantepec y constituye el camino más corto entre el Golfo de México y el océano Pacífico. Su nombre dimana de la ciudad de Santo Domingo Tehuantepec, ubicada en el estado de Oaxaca, el que a su vez proviene del término náhuatl *tecuani tepec*, que significa «colina del jaguar».

Si buscamos en Internet «Istmo de Tehuantepec», descubriremos que el istmo incluye:

> …el área de México comprendida entre los meridianos 94° y 96° de longitud oeste o los extremos sureste de Veracruz y Oaxaca, e incluye pequeñas porciones de Chiapas y Tabasco. El istmo mide 200 km en su punto más estrecho desde un golfo a otro y 192 km hasta el extremo norte de la laguna Superior, ubicada en la costa del Pacífico. En este punto, la Sierra Madre se convierte en una meseta extensa, con una altura máxima de 224 m que se observa en el paso de Chivela del ferrocarril de Tehuantepec. La zona septentrional del istmo es pantanosa y presenta un denso paisaje selvático que ha constituido el mayor obstáculo para el tendido del ferrocarril —mayor aún que la inclinación de la sierra.

De acuerdo con Wikipedia, la zona de Tehuantepec es:

> … cálida y palúdica, a excepción de los claros en altura en donde los vientos provenientes del océano Pacífico hacen que el clima se torne más fresco y seco. El registro de precipitaciones en la ladera atlántica o norte asciende a 3960 mm anuales, y la temperatura máxima es de aproximadamente 35° C a la sombra. La ladera que limita con el Pacífico presenta precipitaciones moderadas y clima más seco.
>
> La estrechez del istmo y el paso de Chivela en la Sierra Madre permiten que los vientos alisios provenientes del Golfo de México lleguen hasta el Pacífico. Además, las montañas producen un efecto de embudo que ocasiona que estos vientos se vuelvan más fuertes y hasta alcancen fuerza de vendaval, especialmente durante el invierno y tras el paso de un

frente frío hacia el norte de la región. Por esta razón, los marineros locales conocen al Golfo de Tehuantepec, ubicado del lado del Pacífico del istmo, como un lugar en el que los vendavales son especialmente frecuentes.

El Istmo de Tehuantepec se ha considerado una ruta conveniente desde la época de Hernán Cortés, primero para la construcción de un canal que conectara ambos océanos y, a partir del siglo XIX, para construir un ferrocarril interoceánico. La Compra de Gadsden, llevada a cabo en 1853, la que comprendió vastos sectores de la región noroeste de México, contenía una cláusula mediante la cual se otorgaba permiso a los Estados Unidos para transportar correo y bienes comerciales a través del Istmo de Tehuantepec por tierra y ferrocarril. El tratado McLane-Ocampo, firmado por Benito Juárez en 1859 pero no ratificado por el congreso estadounidense, le hubiera conferido a los Estados Unidos derechos aún más amplios para transitar por la ruta mencionada. Estos ejemplos demuestran la importancia del Istmo de Tehuantepec tanto en la antigüedad como en tiempos modernos.

Los difusionistas (quienes sostienen que hubo contacto transoceánico entre América y Europa, África, Asia y las islas del Pacífico), creen que los marinos de la antigüedad tocaban tierra en los puertos más importantes y que una ruta comercial terrestre entre los puertos del Atlántico y el Pacífico debió haber sido muy valorada en aquel entonces. Así como hace 200 años un grupo de ingenieros europeos estableció la necesidad de construir un canal a través de una zona estrecha de América Central, sucedió lo mismo con las civilizaciones de la antigüedad hace muchos miles de años. De hecho, y a pesar de los milenios de distancia, aparentemente siempre se tuvieron en cuenta las mismas zonas de América Central: el estrecho Istmo de Panamá, repleto de pantanos y lagos; la actual república de Nicaragua, regada por el río Rama y sus inmensos lagos que se extienden casi hasta el Pacífico y, desde luego, el Istmo de Tehuantepec.

Según Wikipedia:

> El istmo de Tehuantepec fue uno de los preferidos por algún tiempo, ya que su mayor proximidad al centro del comercio internacional le daba

cierta ventaja sobre la ruta de Panamá, aun cuando el istmo mexicano fuera más ancho que el panameño. Sin embargo, cuando se planteó el proyecto de construir un canal que atravesara el istmo, los ingenieros e inversionistas lo descartaron debido al exorbitante costo que suponía. Fue entonces cuando James B. Eads presentó la propuesta de construir un ferrocarril de cuatro vías para el transporte de embarcaciones, proyecto que recibió mucha atención durante un tiempo. Más tarde siguieron planes para construir un ferrocarril convencional, para lo cual el gobierno mexicano otorgó numerosas concesiones entre 1857 y 1882. En ese último año el gobierno mexicano decidió emprender el proyecto por su cuenta e inició negociaciones con una importante empresa constructora local.

Los trabajos de construcción del ferrocarril comenzaron en 1888, y hacia 1893 solo restaba tender 60 km de vías. Finalmente la vía férrea interoceánica se completó en 1894. Para entonces, también se descubrió que la infraestructura de los puertos terminales era insuficiente y que el camino no tenía la preparación necesaria para soportar tránsito pesado. Así fue como el gobierno firmó un contrato con la empresa constructora londinense S. Pearson & Son Ltd., a la que se le había adjudicado anteriormente la construcción de la red cloacal del valle de México y las obras del nuevo puerto de Veracruz. Su tarea sería reacondicionar la línea de ferrocarriles y construir los puertos terminales de Coatzacoalcos, en la costa del Golfo, y de Salina Cruz, del lado del Pacífico. Las obras comenzaron el 10 de diciembre de 1899, y el tránsito se reanudó oficialmente en enero de 1907.

Fue así como México logró unir sus grandes puertos en el Atlántico y el Pacífico a través del Istmo de Tehuantepec, zona que coincide con el centro original de la civilización olmeca. ¿Será más que una coincidencia?

Ignacio Bernal afirma en *El mundo olmeca*, libro de su autoría:

El Istmo de Tehuantepec conecta la zona de influencia olmeca con la depresión de Chiapas y la cuenca del Pacífico. Esta región atrajo a los olmecas por la ausencia de montañas y el clima tropical. En la hondonada central, y en general en todo el estado de Chiapas, aparecen constantemente restos olmecas y de otras culturas relacionadas con ellos. Sin embargo, los descubrimientos, al igual que en otras regiones de América

Central, no constituyen la base de los hallazgos arqueológicos ni representan la mayoría de estos. De hecho, pertenecen a una cultura relacionada con la olmeca, pero poseedora de características propias.

Con frecuencia se hallan piezas de cerámica de color negro con orlas o puntos blancos. En algunos sitios arqueológicos como San Agustín y la costa del Pacífico de Chiapas, los arqueólogos han encontrado piezas similares. En Santa Cruz, los hallazgos son claramente similares a otros relacionados con la cultura olmeca. En las excavaciones realizadas en El Mirador, se han recuperado numerosas figurillas de esa cultura.

El origen de la estela de Padre Piedra es aún más claramente olmeca. En ella aparecen un personaje de pie y otro que parece estar postrado de rodillas ante el primero. En la actualidad la pieza mide poco más de dos metros de altura y se cree que originalmente era aún más alta. Solo puede haber sido confeccionada por los habitantes del lugar y puede asociársela con las cerámicas correspondientes a los Periodos I y II encontradas en Chiapa de Corzo, de características olmecoides. Otro bajorrelieve sobre roca que se encontró en Bachajón presenta un estilo claramente olmeca, y se han encontrado más objetos pertenecientes a esta cultura en numerosos sitios arqueológicos, entre ellos Simojovel y Ocozocoautla.

Bernal asume en su texto que los olmecas no habitaron únicamente la costa del Atlántico sino también la costa de Chiapas, en el Pacifico. Hoy en día se sabe que también ocuparon las regiones aledañas a la costa pacífica de Guatemala y El Salvador. Bernal dice además que los asentamientos en las costas del Pacífico podrían ser aun más antiguos que la zona central de este pueblo cercana a la costa del Atlántico, e incluso que los olmecas fueron los habitantes originales de algunos emplazamientos mayas de la zona, como el de Izapa.

No es fácil establecer con exactitud la correlación entre los periodos Chiapa de Corzo y Olmeca II, ya que el periodo Chiapa I parece ser anterior. El periodo Chiapa II tardío y el Chiapa III temprano, no obstante, parecen coincidir en gran medida con el Olmeca II. El Chiapa III tardío, el Chiapa IV y el V se corresponderían con el Olmeca III, pero los descubrimientos no evidencian que haya una correspondencia total en este aspecto.

El hallazgo más importante relacionado con nuestro análisis de los olmecas es un grupo de cuatro huesos admirablemente tallados que se encontraron en la tumba I. Aunque la tumba pertenece al periodo Chiapa IV, que se cree se extendió desde el año 100 hasta el 1 a.C., los huesos datan de un periodo anterior. Estos tienen, sin duda, algunas características que recuerdan a la estela de Kaminaljuyú y algunas similitudes con los hallazgos de Monte Alban I; sin embargo, su correspondencia más evidente es con los sitios de La Venta y de Izapa, otra ciudad que se encuentra dentro del mundo olmeca imperial.

Otro hallazgo de importancia se produjo en 1961 y consistió en el descubrimiento de fragmentos de estelas en Chiapa de Corzo. A pesar de que las piezas estaban rotas e incompletas, parecen tener relación con Izapa y Tres Zapotes. Personalmente, creo que pertenecen al periodo Olmeca III. Una de ellas, la estela 2, es en especial interesante porque tiene una inscripción de acuerdo con la cuenta larga. (…) la estela 2 de Chiapa de Corzo constituiría, entonces, la inscripción mesoamericana más antigua encontrada hasta el momento: sería exactamente tres años y nueve meses más antigua que la estela C de Tres Zapotes. De acuerdo con la correlación A, correspondería al 7 de diciembre del año 35 a.C. y, de acuerdo con la correlación B, al 294 a.C.

Los académicos siguen debatiendo aún hoy acerca de la fecha exacta del inicio del calendario olmeca (y, en consecuencia, del maya). La fecha de inicio según la correlación A es la más antigua y, por ende, determina una mayor antigüedad en los hallazgos olmecas que poseen datas legibles. Más adelante volveremos sobre el calendario y el sistema de datado olmecas.

## LOS OLMECAS DEL SUR DE AMÉRICA CENTRAL

Es sabido que los olmecas ocuparon, o al menos ejercieron su influencia, sobre grandes áreas del sur de América Central: desde Guatemala y El Salvador hasta Nicaragua, Costa Rica e incluso más hacia el sur. Una de las estatuas más famosas del Museo Nacional de

San José de Costa Rica es una figura olmeca que representa a un hombre jorobado de cráneo alargado y ojos rasgados característicos de los olmecas. En Costa Rica se encuentra también el sitio que alberga las enigmáticas moles de granito perfectamente esféricas que aún no tienen explicación. ¿Las habrán construido los olmecas, de manera similar a las cabezas colosales?

De todas formas, los sitios arqueológicos cuyo origen olmeca está comprobado no van más allá de El Salvador. Según Bernal: «La costa de Chiapas es extremadamente angosta, quizás los conocimientos arqueológicos de la zona sean escasos debido a la falta de exploración de la misma. Por otra parte, allí donde la costa se ensancha, los descubrimientos nos revelan los restos de una cultura importante y desarrollada, aunque casi completamente desconocida para nosotros. Los sitios arqueológicos identificados se extienden desde Tonalá, en Chiapas, hasta Chalchuapa, en El Salvador. En ciertos momentos, la mencionada región costera tuvo relaciones estrechas con las zonas montañosas de Guatemala, con la depresión central de Chiapas y con la zona central de influencia de la cultura maya.

Dado que las áreas como Tonalá e Izapa fueron originalmente olmecas y luego ocupadas por los mayas, puede suponerse que otras zonas, como Monte Albán, situado más al norte, hacia el Valle de México, también fueron olmecas en sus inicios y luego ocupadas por otras culturas.

En la década de los cuarenta, una vez que se determinó que la cultura olmeca era la más antigua de Mesoamérica, los olmecas se convirtieron de manera automática en fundadores de muchas de las ciudades de la antigüedad. Básicamente, si era posible demostrar que en un sitio arqueológico aparecía la iconografía olmeca, se asumía que los olmecas habían sido los fundadores del asentamiento en cuestión, ya que ellos constituían la cultura más antigua. Mientras que es cierto que bien pudo haber existido una cultura anterior a la olmeca en Mesoamérica, los arqueólogos no han podido identificar ninguna (al menos de acuerdo con mi conocimiento actual).

Se cree que los primeros asentamientos mayas, como Uaxactún en la selva de Petén al norte de Tikal, fueron originalmente constru-

Imagen que reconstruye el Monet Albán, situado al norte, cerca del Valle de México..

dos por los olmecas. Por lo tanto, es posible que otros centros mayas de la antigüedad, como Copán, El Mirador, Piedras Negras y muchos más, también hayan sido fundados por los olmecas.

## LOS OLMECAS EN LA REGIÓN CENTRAL DE MÉXICO

En el pasado, los arqueólogos creían que los olmecas habían vivido exclusivamente en la angosta zona de las tierras bajas de Veracruz y Tabasco, pero las excavaciones que se realizaron en el lejano Chalcatzingo en los sesenta y setenta demostraron que ese había sido un emplazamiento Olmeca. El importante yacimiento arqueológico de Chalcatzingo se encuentra en el kilómetro 93 de la autopista Cuernavaca-Cuautla en el estado de Morelos, al sur de Ciudad de México.

Las tallas encontradas en ese yacimiento —ubicado en la base del Cerro de la Cantera, una formación de doble cumbre en el sudeste de Morelos— representan motivos míticos y religiosos relacionados con la agricultura y la fertilidad. El nombre *Chalcatzingo* es de origen náhuatl y su significado podría ser «lugar más preciado de los Chalcas», «lugar venerado de aguas sagradas» o «lugar de los jades preciosos»—nadie está muy seguro de cuál es la traducción correcta.

Los grabados y las esculturas en piedra encontrados en este sitio se convirtieron en el centro del interés en 1934, durante estudios realizados por la arqueóloga Eulalia Guzmán. En la zona hay restos de diferentes culturas que van desde el año 3000 a.C. hasta la actualidad, lo que indica la presencia de personas ajenas a la región, incluida una fuerte influencia olmeca que se cree alcanzó su pico máximo entre el 700 a.C. y el 500 de nuestra era.

Los arqueólogos propusieron que Chalcatzingo era un puesto estratégico fuera de la región central olmeca establecido para facilitar el intercambio. Los comerciantes olmecas traían cerámicas, productos agrícolas y materias primas desde otras zonas en las que estaban asentados, y Chalcatzingo se convirtió en un centro de comercio de la región.

El sitio incluye bajorrelieves y esculturas como «El rey» y «El volador», el «Mural de la fertilidad», una procesión, «El jaguar» y «La reina», y también estructuras como el «altar tlahuica», el «altar olmeca» y un campo de pelota. Fotografías de gran parte de las piezas de arte y de las características del yacimiento se publicaron en el libro de David C. Grove de 1984, *Chalcatzingo: Excavations on the Olmec Frontier*.

En enero de 2007 se anunció que se había descubierto otra ciudad de influencia olmeca en Zazacatla, en las proximidades de Chalcatzingo y Cuernavaca. ¿Tuvieron los olmecas una influencia extendida en el norte de México? ¿Tuvieron algo que ver en la construcción de las misteriosas pirámides de Teotihuacan? Se creía que Teotihuacan estaba muy lejos de las zonas olmecas como para que ese pueblo las hubiera construido, ¡pero lugares como Chalcatzingo y Zazacatla no son tan lejanos!

## La Venta y la región central olmeca

Es posible que la capital olmeca se haya encontrado en La Venta, uno de los emplazamientos más conocidos y grandiosos de este pueblo. Según las dataciones más generalizadas, se dice que ese lugar estuvo activo entre 1200 a.C. y 400 d.C., lo que sitúa el mayor desarrollo de la ciudad en el periodo Formativo Medio. Ubicada en una isla en un pantano costero con dominio del entonces activo río Palma, la ciudad de La Venta habría controlado la región comprendida entre los ríos Mezcalapa y Coatzacoalcos. En la actualidad, el río Palma está inactivo y la zona se transformó en un conglomerado de pantanos. Podríamos preguntarnos si los olmecas, como parte de un gigantesco proyecto de alteración del terreno, crearon un río a través del pantano en el que establecieron su «capital», si es que esa era la función que cumplía esa ciudad.

La Venta se encuentra unos 30 kilómetros tierra adentro en una isla que consiste en poco más que unos 5,2 kilómetros cuadrados de tierra seca. La parte principal del emplazamiento es un complejo de

Vista aérea de La Venta, 1966.

construcciones de arcilla que se extienden por 19 kilómetros en dirección norte-sur, si bien el sitio está 8° al oeste del Norte geográfico. En la actualidad, toda la extensión del extremo sur del emplazamiento se encuentra ocupada por una refinería de petróleo. La mayor parte de esa sección de la ciudad se encuentra derruida, lo que dificulta —y hasta imposibilita— las excavaciones.

Muchos de los fabulosos monumentos de este sitio se exhiben en la actualidad en el museo y parque arqueológico de la ciudad de Villahermosa, Tabasco, la capital petrolera de México. Fue en La Venta y en la cercana San Lorenzo donde se encontraron muchas de las cabezas colosales a las que deben su fama los olmecas. Las importantes canteras de basalto de las que provino el material de las cabezas colosales de piedra y los bloques de basalto prismático se encuentran en las cercanas montañas de Tuxtla.

Un enorme túmulo en forma de pirámide marca el límite sur del recinto ceremonial de La Venta. En la base de este túmulo piramidal se encontró la estela 25/26. Esta estela muestra una criatura zoomorfa atada con follaje en la parte superior y se cree que representa el Árbol del Mundo o axis mundi.

El límite septentrional del complejo A es básicamente un patio cerrado sobre un enorme depósito subterráneo de serpentina. Se cree que este depósito representa las aguas primordiales de la creación. Enterrado debajo del patio cerrado se encontró la ofrenda 4, una ofrenda funeraria ahora famosa conformada por 6 hachas y 15 figuras de jade que representaban olmecas con cráneos alargados y ojos con rasgos orientales. La única figura que está ubicada de frente a las otras está tallada en granito. El grupo de figuras está de pie entre las hachas, que se encuentran en posición vertical, las que al parecer son representaciones en miniatura de las altas estelas de granito comúnmente utilizadas por los olmecas y los mayas (así como por las culturas egipcia e india, entre otras).

Si bien no se conoce el significado de este arreglo funerario, este demuestra de manera elocuente la relación conceptual entre la forma de las hachas y la de las estelas de granito, lo que convierte a las hachas de jade en estelas en miniatura, entre las que las figurillas de jade están de pie como si se tratara de una reunión importante. Este exquisito arreglo puede verse ahora en el Museo Nacional de Antropología de Ciudad de México y es una de las piezas en exhibición más conocidas de la sección olmeca.

Dos grandes plataformas de adobe guardan la entrada al patio cerrado. Debajo de esas plataformas, se colocaron enormes depósitos de serpentina en forma de capas, los que alternan con pisos de arena de colores. En cuanto a estas enormes placas de piedra verde, se enterraron casi inmediatamente después de su finalización y se cree que su función había sido dotar a la tierra de «poder cósmico». Además, la capa superior de piedra verde en cada uno de estos dos depósitos laterales estaba acomodada formando un patrón quincunx que marcaba las cuatro esquinas del universo e incluía una barra central, o *axis mundi*, que marcaba el centro del mundo.

Había una tercera placa, casi idéntica a las otras dos, que estaba ubicada entre los dos túmulos paralelos que enmarcaban el patio central o callejón que unía la pirámide principal con el patio cerrado. A diferencia de las otras dos placas, esta mostraba signos de abrasión, como si no se la hubiera enterrado en seguida.

Como para reforzar la temática de las aguas primordiales que caracteriza al patio cerrado de La Venta, sobre otro gran depósito de piedra verde en el centro del patio flotaba un sarcófago de piedra arenisca con la forma del dragón olmeca. Si bien se recuperó un manojo de joyas de jade del interior ahuecado del sarcófago, no se encontró ningún tipo de resto esquelético debido a la naturaleza ácida de los suelos de la zona. No obstante, es muy posible que las joyas hayan adornado otrora el cuerpo de uno de los soberanos de La Venta.

En La Venta también se encontró el famoso altar 4, el que posiblemente haya servido la función de trono. Esta enorme pieza de basalto tallado que pesa toneladas representa a un gobernante con un tocado en forma de ave sentado dentro de un hueco. Este personaje está asiendo una cuerda que se extiende hacia los lados del altar. Del lado del altar que no se encuentra deformado hay un individuo sentado con las manos atadas por la cuerda, como si estuviera

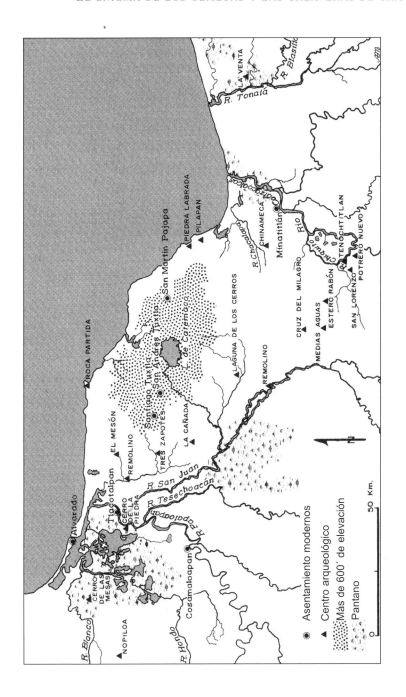

cautivo. Otra posibilidad es que, tal vez, represente un linaje ances-tral. Arriba del soberano sentado en el frente del altar se pueden ver las enormes fauces abiertas de un felino. La boca de este jaguar parece estar relacionada metafóricamente con el portal abierto desde el que emerge el gobernante.

Si bien se cree que La Venta fue la capital o la ciudad más importante de los olmecas, es posible que no haya sido así. Sabemos tan poco sobre este pueblo que es imposible decir con certeza cuán importante fue para ellos La Venta o si había o no otras ciudades y sitios ceremoniales más importantes que este para los olmecas.

Por ejemplo, algunos emplazamientos olmecas podrían encon-trarse sumergidos en el Golfo de México o seguir enterrados bajo los pantanos de Tabasco y Veracruz. También es posible que haya habido asentamientos olmecas en el interior de México, como Chalcatzingo o Zazacatla, cerca de allí y descubierto de manera reciente. Estos sitios se encuentran a una distancia considerable de la supuesta región central olmeca, lo que sugiere que la tierra de este pueblo, Olman, era bastante extensa. Tal como se mencionó antes, algunos arqueólogos creen que lugares como Monte Albán y Teotihuacan están relacionados con los olmecas y es posible que esas ciudades hayan sido originalmente importantes centros de esa cultura.

Cuanto más descubrimos sobre los olmecas, mayor es el misterio que los rodea. Hemos descubierto que en el pueblo olmeca se inclu-yen casi todos los tipos raciales del mundo. ¿Cómo es posible? Se les atribuyen toda clase de inventos, desde la rueda, el juego de pelota y la escritura jeroglífica, y ahora se sabe que controlaron la mayor parte de México meridional, de costa a costa. Desde un punto de vista difusionista, la tierra de Olman bien pudo haber sido el "centro del mundo", ya que el Istmo de Tehuantepec realmente habría sido el centro del mundo de haber habido un fuerte comercio transoceánico entre el océano Atlántico y el Pacífico. Si hubiera existido un comer-cio y un movimiento de embarcaciones tal, la tierra de los olmecas bien podría haber sido un centro cosmopolita en el que se mezclaran las culturas del todo el mundo.

Estatuilla olmeca que muestra a un hombre sosteniendo un pequeño balón.

Otra cabeza de tamaño enorme descubierta en San Lorenzo, Veracruz.
Actualmente se encuentra en el Museo Arqueológico de Xalapa.

ALtar 5 en La Venta. Muestra a un olmeca emergiendo de la cueva con un bebé.

Estatua olmeca ubicada en San Lorenzo. Se puede notar que tiene, aparentemente, una barba y una apariencia muy similar a la de los egipcios.

Estatua que representa una imagen femina. Se encuentra en el Museo
Arqueológico de Xalapa.

# Capítulo 2
# La enigmática destrucción de los olmecas

Cuando todavía era de noche, cuando todavía no existía el día, cuando todavía no había luz, se reunieron; los dioses se encontraron aquí, en Teotihuacan

–Mito náhuatl sobre el Final del Cuarto Mundo

## HUNAB KU Y LA DESTRUCCIÓN DEL CUARTO MUNDO

De acuerdo con los mayas y los aztecas, antes de este hubo cuatro mundos y ahora nos encontramos en el Quinto Mundo. Cada uno de estos quedó destruido por algún tipo de cataclismo, ya fuera a causa de hielo, agua o fuego. Cuando se destruye un mundo, otro renace con nuevos habitantes y un nuevo orden. Nuestro mundo actual, el Quinto Mundo, también será destruido —probablemente a causa de agua.

Todas las culturas diferentes de Mesoamérica, e incluso aquellas del sudeste americano, comparten una misma cultura general y también comparten sus mitos, incluidas las historias sobre la creación y el mito de la destrucción de los cuatro mundos anteriores. En diferentes regiones hay versiones distintas de estos mitos, los que a menudo son confusos; pero pese a que estos mitos son poco claros y sus detalles varían mucho de un relato a otro, todos tienen una temática general similar.

No contamos con ninguna leyenda directa de los olmecas, pero tenemos las tradiciones de los aztecas, mixtecos, mayas y otros pobladores de los cuatro mundos que precedieron a nuestro Quinto Mundo actual. En conexión con los olmecas surge inmediatamente una pregunta: ¿se trata de un pueblo al que destruyó uno de los cataclismos que ocasionaron el fin de alguno de esos mundos, o llegaron al comienzo del Quinto, tal como alegan haber hecho los mayas?

Observemos primero la versión azteca de la destrucción de los cuatro mundos. El arqueólogo francés Jacques Soustelle proporciona una buena explicación sobre los mundos anteriores de los aztecas en su libro *Los cuatro soles*. Según Soustelle:

> Nuestro universo, de acuerdo con los antiguos mexicanos, es el quinto de una serie y lo precedieron cuatro soles. En el calendario azteca, los jeroglíficos están grabados dentro de las cuatro ramas del signo ollin. Se los llama:
>
> Nahui-Ocelotl, «4 jaguar». Según la tradición, los hombres fueron devorados por jaguares. Pero para los pueblos más antiguos de México, ese felino simboliza las fuerzas oscuras de la Tierra, es el símbolo de todo el misterio que ronda «en el corazón de las montañas». Para los mexicanos más recientes del periodo Tolteco-azteca, el felino representaba a Tezcatlipoca, dios del cielo nocturno, salpicado de estrellas como el manto del jaguar lo está de manchas.
>
> Nahui-Eecatl, «4 viento». En este caso, fue la tempestad la que puso fin al Sol; una tormenta mágica dado que, bajo su influencia, los hombres se convirtieron en monos. El emblema de este mundo es la máscara del dios del viento, quien a su vez no es otra cosa que una de las formas de Quetzalcóatl, la serpiente emplumada, rival eterna de Tezcatlipoca.
>
> Nahui-Quiauitl, «4 lluvia». Una lluvia de fuego (tlequauitl) cayó con fuerza sobre este universo y lo aniquiló. Este periodo cósmico se simboliza con Tláloc, el dios de la lluvia beneficiosa y también del trueno y el relámpago, las montañas y los volcanes.
>
> Nahui-Atl, «4 agua». El diluvio duró cincuenta y dos años. Solo sobrevivió una pareja que se había refugiado en el tronco de un gran

ciprés; pero como habían desobedecido las órdenes de Tezcatlipoca, el hombre y la mujer que escaparon del cuarto universo se transformaron en perros. La serpiente emplumada se vio obligada a descender al mundo subterráneo, robar los huesos de los cadáveres de los ancestros de la oscuridad y derramar su propia sangre sobre ellos para que la actual raza de hombres pudiera venir a la vida.

Como se supone que los mayas son descendientes de los olmecas, es posible que el relato más preciso sobre la destrucción de los cuatro mundos provenga de ellos. De acuerdo con las leyendas incluidas en el *Popol Vuh* y el *Chilam Balam* de los maya quiché, el supremo creador, el dios Hunab Ku, creó cuatro mundos de manera sucesiva, dado que fue quien reconstruyó el paisaje cuatro veces después de los diluvios que manaron de la boca de la serpiente del cielo. El cielo cayó sobre la Tierra, y ahora cuatro dioses conocidos como los Bacabes están de pie en las esquinas del mundo y sostienen el cielo —de manera similar al mito de Atlas.

Al comienzo, según cuenta el *Popol Vuh*, no existía otra cosa que Hunab Ku. Hunab Ku es un dios controvertido en los estudios mayas. Si bien es el dios principal en el panteón maya, existen pocas imágenes de él ya que se consideraba que no tenía forma.

En cuanto dios supremo y creador de los mayas, Hunab Ku recibe el nombre del "dios de los dioses". El símbolo para el número uno, llamado *hun* en el idioma maya, es un punto —o un pequeño círculo que representa un punto— y está asociado con Hunab Ku, «el único». De esta manera, este dios es similar al concepto del incognoscible Tao. Hunab Ku, el único dios creador, tuvo cuatro hijos, conocidos como los Bacabes, quienes gobernaron las cuatro esquinas del mundo. Uno de sus hijos fue Itzamná, a menudo llamado «el hijo de Hunab Ku».

Se considera que Itzamná fue el fundador de la cultura maya. Se le atribuye la introducción del maíz y el cacao y también haberle enseñado a ese pueblo a escribir, sanar y el uso de los calendarios. Como proveedor de la cultura, se convirtió en dios-estado del imperio maya.C.omo dios luna, gobierna la noche. A Itzamná también se lo llama «dios D», y lleva el título de «señor del conocimiento».

55

Los siete dioses mayas (detalle).

El término *Itzamná* está compuesto por dos jeroglíficos: el primero es una representación convencional de su cabeza, y el segundo contiene como elemento principal el símbolo del día *Ahau*. El símbolo que representa a este día significa rey, emperador, monarca, príncipe o gran señor, lo que le otorga a Itzamná la dignidad de jefe de los dioses mayas, así como la de patrono del día *Ahau*, el último del ciclo maya de veinte días. Se dice que Itzamná es similar al dios azteca Ometeotl.

Según la mitología maya, Hunab Ku creó primero la Tierra con los siete dioses de la creación, incluidos Tepeu y Gucumatz, a quienes se los llama los creadores, los formadores y los progenitores entre los diversos dioses. Ellos fueron dos de los primeros seres que existieron y, según cuenta la leyenda, eran muy sabios. Hurakan, o Corazón del Cielo, también era un dios pero no tenía una personificación como los otros dioses. Hurakan actuaba más bien en la forma de una tormenta terrible, y es de su nombre que proviene el término *huracán* que usamos para designar al fenómeno meteorológico.

De acuerdo con este relato, Tepeu y Gucumatz tienen una conferencia con otros dioses, entre los que estaba Hurakan, y deciden que para preservar su legado deben crear una raza de seres que los adoren. Hurakan se ocupa de la creación propiamente dicha, mientras que Tepeu y Gucumatz guían el proceso creativo. Se crea la Tierra, pero algunos de los intentos de los dioses por poner a la humanidad en el planeta son infructuosos. Primero crearon los animales, pero entre sus aullidos y sus graznidos no se dedicaron a rendir culto a sus creadores y entonces se los desterró para siempre al bosque.

Luego se creó al hombre a partir de barro, pero estos primeros humanos simplemente se disolvieron o desmoronaron. Convocaron entonces a otros dioses para que ayudaran en el proceso de la creación y entonces se creó al hombre a partir de madera, pero no tenía alma, por lo que este hombre nuevo olvidó rápidamente a sus creadores. Por esta razón, los dioses destruyeron el mundo al hacer caer una oscura lluvia resinosa sobre esos habitantes.

Los dioses volvieron a reunirse con otros dioses y luego crearon otro hombre, esta vez de masa de maíz. Este nuevo hombre hecho de maíz es, según los mayas, el hombre actual. Para ellos, la harina de maíz no era simplemente la base de su alimentación: ellos mismos estaban hechos de ese rendidor vegetal. Las plantas de maíz más antiguas que se hayan cultivado se encontraron en Olman y se le atribuyen a los protoolmecas. Tal vez los olmecas y los mayas primitivos hayan surgido en esta época de acuerdo con leyendas aún desconocidas.

Los hopi del norte de Arizona tienen una tradición similar en lo que respecta a la destrucción de cuatro mundos y a que nuestro mundo, el quinto, está llegando a su fin. También creen que los diferentes tipos y colores de maíz se distribuyeron entre los distintos pueblos y que a ellos, los hopi, les tocó el maíz azul.

Entonces, sobre la base del confuso relato de la destrucción de tres y a veces cuatro mundos, nos queda la idea de que Hunab Ku y los dioses crearon primero al mundo, después al hombre (tras varios intentos infructuosos) y luego destruyeron el mundo en tres o cuatro inundaciones que básicamente hicieron que la civilización comenzara otra vez y que se instaurara un nuevo orden. El último de estos nuevos órdenes fue la creación de los mayas, o al menos de su linaje de dominación en Mesoamérica. El *Popol Vuh* dice que Hunab Ku reconstruyó el mundo tras tres diluvios que cayeron de la boca de una serpiente del cielo. Según una versión alternativa, fue Hunab Ku quien sostuvo el recipiente del cual cayeron los diluvios.

La primera de estas lluvias intensas cayó al final del Primer Mundo y destruyó al hombre primitivo, hecho de barro. Así llegó el Segundo Mundo a la Tierra. Sus pueblos construyeron grandes estructuras, y se consideraba que sus habitantes eran enanos —o, según algunas leyendas, gigantes. Tal vez este mundo haya sido el mundo antediluviano previo a la última era glacial: un mundo de construcciones megalíticas comúnmente asociado a la Atlántida.

La segunda inundación trajo el fin del Segundo Mundo y el comienzo del tercero. Un tercer torrente pone fin al Tercer Mundo y Hunab Ku crea el cuarto y último. Este mundo es el que conocemos hoy, y se cree que está   destinado a desaparecer bajo una cuarta inundación que supuestamente tendrá lugar a finales del calendario maya, en el año 2012.

En su libro *El factor maya*, José Argüelles afirma que existe un jeroglífico para representar a Hunab Ku al que él llama «mariposa cósmica». En las pocas representaciones de Hunab Ku de que disponemos, como por ejemplo en algunos platos de cerámica, Hunab Ku, como «primer ser creador» aparece en la forma del joven dios del maíz «resucitando» a una nueva vida al partir su propio cráneo del que surge un nuevo dios del maíz. Si bien Hunab Ku era uno, al mismo tiempo era un ser dual ya que el dios encarnaba también su propia parte femenina. El símbolo mediante el que se representa a Hunab Ku es muy similar al del yin-yang, y se dice que representa el calendario solar, la dualidad de la creación, las fuerzas en equilibrio y la perfección.

Algunos arqueólogos y astrofísicos presumen que Hunab Ku es el símbolo que los antiguos mayas utilizaban como portal a otras galaxias más allá de nuestro Sol. Esto lo convertiría en una puerta estelar como aquellas en las que creían los egipcios, quienes querían que sus almas llegaran a una parte del cielo conocida como Duat. En esta misma línea, otros teóricos afirman que Hunab Ku es el centro galáctico, el centro literal alrededor del cual gira nuestra galaxia.

## LOS OLMECAS Y EL FINAL DEL CUARTO MUNDO

De acuerdo con el *Popol Vuh* de los maya quiché, una inundación destruyó al Cuarto Mundo y tras este cataclismo llegó el Quinto Mundo y también el pueblo maya. ¿Qué pueblos perecieron con el final del Cuatro Mundo?, ¿los olmecas? ¿Cuándo tuvo lugar esta destrucción?

La desaparición general de los olmecas —o al menos su desaparición de la zona de La Venta, considerada la capital de Olman— tuvo lugar aproximadamente entre el 400 y el 500 a.C. Alrededor de esta época, toda la región fue abandonada y el arte de estilo olmeca comenzó a mermar. ¿Hubo un terremoto que hizo que los ríos cambiaran de curso e inundaran el área, convirtiéndola así en un pantano? ¿Fue ese el final del Cuarto Mundo, la inundación de La Venta?

Según Richard Diehl, en *The Olmecs*:

La civilización olmeca había cumplido su ciclo para el año 400 a.C. La Venta, San Lorenzo y grandes extensiones de tierras bajas a los lados del río quedaron abandonadas; los artesanos ya no creaban esculturas, obras en jade y vasijas en estilo olmeca, y las grandes redes de intercambio que alguna vez conectaron Olman con el resto de Mesoamérica dejaron de funcionar. No obstante, seguía habiendo pobladores en la zona, y una nueva civilización, a veces llamada epiolmeca, evolucionó en Tres Zapotes, en el extremo norte de las montañas de Tuxtla.

¿Qué sucedió con la cultura olmeca? ¿Cuándo desapareció y por qué? Tras décadas de especulaciones, los arqueólogos finalmente tienen respuestas parciales a estas preguntas. El periodo de declinación puede limitarse a los siglos V y IV antes de Cristo... La gran pirámide de La Venta, y probablemente también el resto de la ciudad, fue abandonada a comienzos del siglo IV a.C. San Lorenzo (fase Palangana) y las numerosas aldeas y caseríos de los alrededores quedaron desiertos aproximadamente en la misma época. Estos no fueron movimientos poblacionales temporarios; la región baja de Coatzacoalcos estuvo deshabitada por al menos mil años, y el interior de La Venta prácticamente no tuvo pobladores hasta mediados del siglo XX.

Ya tenemos la fecha de la declinación de los olmecas. Ahora, ¿cuál es su explicación? La declinación y la decadencia de las culturas son cuestiones normales en la historia de la humanidad; son la clase de cambios normales por los que pasan todas las civilizaciones. Sin embargo, no es usual que las poblaciones agrícolas abandonen regiones enteras por siglos, a menos que haya alguna explicación. En el caso del colapso de los olmecas, podemos considerar dos explicaciones básicas: cambios en el medio ambiente y acciones humanas. En este momento, nuestra mejor evidencia apunta al primero de estos motivos, pero no fue sino hasta hace poco tiempo que los arqueólogos comenzaron a investigar seriamente el asunto.

Estudios recientes llevados a cabo por geomorfólogos mexicanos demuestran que los ríos que rodean La Venta y San Lorenzo son sistemas dinámicos que experimentaron cambios constantes durante los últimos

Relieve maya descubierto por el arqueólogo alemán Teobert Mahler
que represnta la destrucción del mundo.

4000 años. La declinación de San Lorenzo a finales del periodo Formativo Temprano coincidió con cambios pronunciados en el cauce del río Coatzacoalcos, y lo mismo sucedió en La Venta 500 años más tarde. Fueron procesos naturales los que desencadenaron estos cambios: el levantamiento tectónico y el hundimiento de la costa crearon nuevas topografías, mientras que el aumento del nivel del mar en todo el mundo sumergió los márgenes costeros y el cieno y las cenizas volcánicas obstruyeron los ríos. El cieno provino de la expansión de los campos de cultivo, mientras que la ceniza se originó en erupciones en las tierras altas cercanas.

Si estos terremotos que cambiaron el curso de los ríos estuvieron acompañados de cenizas y otras actividades volcánicas, bien puede haber parecido el final del mundo (del Cuarto Mundo) para los olmecas que vivían en la zona de La Venta. Al poco tiempo de esto —o en la misma época— otras ciudades olmecas en el centro de México, como Cuicuilco, quedaron cubiertas por derrames de lava, y puede haber caído ceniza sobre ciudades como Chalcatzingo al mismo tiempo que en La Venta. Los olmecas estaban muriendo mientras los zapotecas y los mayas prosperaban.

Si es cierto que algunas de las ciudades olmecas quedaron destruidas por erupciones volcánicas, ¿lo habrán tomado los contemporáneos como una destrucción vengativa de los dioses?

¿Coincidió el desarrollo de los mayas con la destrucción de las ciudades de los olmecas? De acuerdo con los datos conocidos, los mayas ocuparon ciudades como Piedras Negras, Uaxactún, Izapa y Comalcalco después de que hubieran funcionado como asentamientos olmecas. Pero otras ciudades de los olmecas fueron destruidas. Este parece ser uno de los datos concretos que tenemos sobre los olmecas: sufrieron la destrucción; sus estatuas quedaron sepultadas, sus tierras, desoladas, y su recuerdo, borrado. Fue gracias a la exploración petrolera reciente y a las posteriores investigaciones arqueológicas que este pueblo olvidado salió a la luz. Los emocionantes descubrimientos de las cabezas colosales en los años treinta y cuarenta parecieron desvelar un mundo perdido, ¡un mundo destruido por un cataclismo!

Al intentar comprender los diferentes mundos de los que hablan los mayas y otros pueblos nativos de América, un buen punto de partida son los distintos cataclismos que sufrieron las civilizaciones mesoamericanas. Estos incluyen erupciones volcánicas, tsunamis, terremotos, tormentas severas y sequías, además de la invasión de tribus hostiles. Existe evidencia de que en México y América Central sucedieron todas estas cosas. ¿Habrá sido alguna de estas destrucciones parte del «final de un mundo y comienzo del siguiente»? Tendría sentido si así fuera.

La destrucción del Primer Mundo pudo haberse debido a los cataclismos que pusieron fin a la glaciación anterior hace alrededor de 12.000 años. Hacia el final de esa glaciación, el Pacífico Noroeste sufrió un alto grado de destrucción cuando los grandes lagos en Montana, las Dakotas y Alberta atravesaron una barrera de hielo y avanzaron hacia el oeste, hasta llegar al Pacífico. De manera similar, un lago en Utah y Wioming se desbordó a lo largo del norte de Arizona y es posible que haya creado así el Gran Cañón (en la actualidad, los geólogos creen que el Gan Cañón podría haberse creado rápidamente en el transcurso de miles de años y no de millones). Fue en esta época también que se extinguieron los mamuts y otros grandes animales.

El Segundo y Tercer Mundo pueden haber sido destruidos por otros cataclismos que ocurrieron a lo largo de los milenios, hasta alrededor del 400 a.C. En los años comprendidos entre el 500 a.C. y el 250 de nuestra era hubo considerable actividad volcánica en el Valle Central de México, y es posible que este extenso periodo de tiempo haya correspondido al final del Cuarto Mundo. Esta —alrededor del año 200 a.C.— es también la época del surgimiento de Teotihuacan, aunque su aparición podría ser anterior. Esta ciudad aparentemente sobrevivió la devastación del Cuarto Mundo y siguió existiendo como una ciudad poblada en el Quinto Mundo.

Los mitos náhuatl afirman que los dioses se reunieron en Teotihuacan a finales del Cuarto Mundo y comienzos del Quinto:

> Cuando todavía era de noche,
> cuando todavía no existía el día

cuando todavía no había luz,

se reunieron;

los dioses se encontraron aquí,

en Teotihuacan.

Según los geólogos, alrededor de esta época hubo muchos terremotos y actividad volcánica generalizada, la que incluyó la erupción de los volcanes de los alrededores de Ciudad de México. La misteriosa pirámide circular de Cuicuilco quedó cubierta por un derrame de lava en ese entonces. En la actualidad, Cuicuilco está rodeada por la villa olímpica de Ciudad de México. Tiene 17 metros de alto y 100 de diámetro y está en gran parte cubierta por el flujo de lava del cercano volcán Xitle.

El primero en excavar Cuicuilco fue el arqueólogo mexicano Manuel Gamio en 1917, quien encontró un montículo fuera de la ruta principal, hacia el sur de la ciudad. Dicho montículo resultó ser una pirámide o cono truncado. Tiene cuatro galerías y una escalera central que llega hasta la cúspide. Se dice que Cuicuilco es una de las estructuras más antiguas del Valle de México.

De hecho, en general se cree que Cuicuilco es una de las estructuras más antiguas de toda Mesoamérica y que data de alrededor del 700 a.C. También se cree que está relacionada con los Olmecas. Según Wikipedia:

Cuicuilco fue una antigua ciudad en las tierras altas del centro de México, ubicada en la costa meridional del lago Texcoco en el Valle de México, al sureste. En la actualidad es un importante sitio arqueológico que estuvo ocupado durante los periodos Formativo Medio y Tardío de Mesoamérica (circa 700 a.C. – 150 d.C.). Sobre la base de esa fecha de ocupación, es posible que Cuicuilco sea la ciudad más antigua en el Valle de México. Además, fue en parte contemporánea de los olmecas de las tierras bajas de Veracruz y Tabasco en el Golfo de México —conocida como región central olmeca— y posiblemente haya tenido relación con esas poblaciones.

Cuicuilco fue originalmente un pueblo agrícola, pero presenta evidencia de prácticas religiosas primitivas, incluidas ofrendas en piedra y el uso de cerámicas como ajuar funerario. La ciudad creció alrededor de

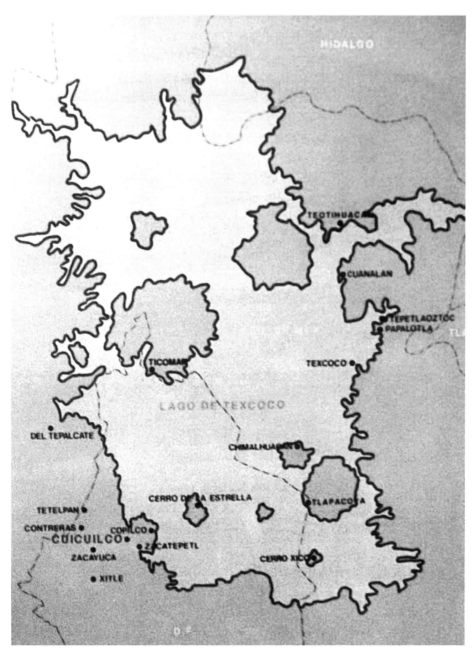

Mapa de Cucuilco.

Piramide circular de Cucuilco, cerca de México.

Otra imagen de Cucuilco.

un gran centro ceremonial con pirámides y de una zona urbana relacionada con este que incluía plazas y avenidas que bordeaban una serie de estanques pequeños y poco profundos. Estos estanques se alimentaban de escurrimientos provenientes de los cercanos cerros de Zacayuca y Zacaltepetl. Se estima que en su momento de máximo esplendor la ciudad albergó a 20.000 personas. El asentamiento presenta terrazas, diversos edificios, fortificaciones y acequias y canales de riego.

Los arqueólogos llegaron a la conclusión de que Cuicuilco era una comunidad prominente antes del surgimiento de Teotihuacan como centro urbano, ya que las seis pequeñas comunidades que luego se combinaron para formar esta última ciudad se fundaron y tuvieron un modesto crecimiento durante la época en que Cuicuilco ya estaba construyendo pirámides y monumentos públicos. La ciudad parece haber sido abandonada aproximadamente entre los años 150 y 200 de nuestra era, tras la erupción de un volcán cercano, Xitle. Mucho tiempo después, el territorio volvió a ocuparse. Piezas de alfarería y otra evidencia sugieren que los refugiados del desastre volcánico migraron hacia el norte y se convirtieron en parte del conjunto poblacional de Teotihuacan, cerca de la costa norte del lago Texcoco.

Una muestra de lo controversial y confusa que puede resultar la datación de monumentos antiguos: al principio, los geólogos creían que el flujo de lava que cubría gran parte de la pirámide de Cuicuilco tenía más de 7000 años; en la prestigiosa publicación *National Geographic* (número 44, publicada en 1923, páginas 202-220) se difundió información en contrario. En 1922, el autor del artículo, un arqueólogo llamado Byron Cummings, se interesó por ese sitio cuando se enteró de que un geólogo de nombre George E. Hyde había estimado la antigüedad de la lava que cubría la pirámide, llamado flujo de lava de Pedregal (hoy conocido como flujo de lava del Xitle) en 7000 años. Curiosamente, Cummings menciona que cuando comenzaron las excavaciones apareció una brillante luz azul en la cima de la pirámide. Esto animó a los trabajadores, quienes creyeron que se trataba de una señal de que el montículo albergaba un tesoro azteca.

Una reciente datación por carbono 14 de los restos carbonizados de plantas quemadas que se encontraron debajo del derrame de lava arrojó una fecha alrededor del año 245 d.C. No importa cuál sea la antigüedad de Cuicuilco; es una ciudad muy antigua que sorprende a los arqueólogos desde hace mucho tiempo. Según cuenta Bernal en su libro *Historia de la arqueología de México*:

> En 1917 Gamio hizo los arreglos necesarios para hacer una exploración por debajo de la lava en la zona de Copilco, fin para el cual se cavaron túneles. Los hallazgos fueron sensacionales: se descubrieron restos de construcciones, sepulturas, herramientas de piedra y grandes cantidades de piezas de alfarería cuyo estilo era claramente similar a las de potzalco, lo que indicaba que debían pertenecer al periodo Arcaico.

Si La Venta se destruyó alrededor del año 400 a.C., entonces Cuicuilco, una ciudad olmeca que nació alrededor del 700 a.C., siguió ocupada durante unos 500 años más. ¿La destrucción del Cuarto Mundo incluyó la de Cuicuilco? Parecería que el Cuarto Mundo fue destruido cientos de años antes, y que la destrucción de esta ciudad fue independiente de aquella.

## El misterio de Teotihuacan

De acuerdo con la mitología azteca náhuatl, Teotihuacan se erigió antes de que un cataclismo convirtiera al día en noche y el sol ya no volviera a salir. Los hombres o dioses de Teotihuacan tuvieron que salvar el mundo y hacer que el sol volviera al cielo. Aparentemente, para el final del Cuarto Mundo Teotihuacan ya existía, entonces, ¿cuándo se la construyó? ¿Por cuánto tiempo estuvo ocupada? En general, no se cree que esta ciudad haya estado ocupada antes del año 200 a.C.

Según dice Michael Coe en su libro *Méjico*, publicado originalmente en 1962: «El más humilde de ellos, Nanahuatzin, el "dios buboso" se arrojó a las llamas y se convirtió en el sol. Pero los cuerpos celestes no se movieron, entonces *todos* los dioses se sacrificaron por el beneficio de la humanidad. Finalmente, se estableció allí un gobierno: los señores de Teotihuacan eran "hombres sabios, conocedores de las cosas ocultas, poseedores de las tradiciones". Cuando murieron, se construyeron pirámides sobre ellos. Según la tradición, las pirámides más grandes, las del Sol y la Luna, fueron construidas por los gigantes que existían en esa época».

No solo podemos trazar un paralelo con la Biblia en cuanto al mito del cambio generado por un cataclismo, a raíz del cual ya no salió el Sol, sino también en cuanto a que «había gigantes en la tierra en aquellos días» (Génesis 6:4).

Se cree que los inicios de Teotihuacan se remontan a la época en la que Cuicuilco también estaba ocupada; las dataciones actuales de sus primeras construcciones corresponden a alrededor del 200 a.C. y se cree que la Pirámide del Sol, la más grande del complejo, ya se había terminado para el año 100 a.C.

En los años cincuenta, el destacado arqueólogo M. Covarrubias aceptó con incredulidad que la datación por radiocarbono había arrojado para el sitio «la imposible fecha del 900 a.C.» (*Indian Art of Mexico and Central America*). Pruebas posteriores con radiocarbono dieron el año 1474 a.C., y en la actualidad algunos arqueólogos aceptan una fecha alrededor del año 1400 a.C. Si estas fechas son correctas, entonces Teotihuacan estuvo activa mil años antes de lo que se creía, lo que coincide con la época en que los olmecas estaban tallando sus cabezas colosales de piedra.

La datación de sitios arqueológicos siempre es un asunto delicado: puede establecerse la fecha de un yacimiento mediante la datación de un hueso, un trozo de madera o cerámica, pero el sitio en sí mismo puede ser cientos de años más antiguo. Si hemos de dar crédito a la leyenda azteca, entonces podemos pensar que los supuestos dioses —los olmecas o lo que sea que quedara de ellos— se reunieron en Teotihuacan al momento de la destrucción del Cuarto Mundo por un cataclismo. ¿Sucedió esto en el año 100 a.C., una vez que se terminó la Pirámide del Sol? ¿Es posible que haya sido antes, por ejemplo alrededor de la época de la destrucción de La Venta?

Vista de Teotihuacan desde la Piramide de la Luna.

En 1971 se descubrió por accidente una pista sobre la razón por la que la Pirámide del Sol se construyó en el lugar en el que se encuentra: una extraordinaria cueva que se encuentra debajo de la pirámide. Existe un tubo volcánico prolongado y elaborado en épocas remotas, que se extiende por 100 metros hacia el este seis metros por debajo de la pirámide, al que se llega por medio de una escalera ubicada en su eje central, la que termina en un espacio con varias cámaras que se asemeja a un trébol de cuatro hojas.

Según Michael Coe,

> Recordaréis que la tradición azteca ubicaba la creación del Sol y la Luna, e incluso del presente universo, en Teotihuacan. El uso de esta cueva es anterior a la pirámide en sí misma, y tras la construcción de esta siguió siendo un lugar de culto. Desafortunadamente, los datos de las excavaciones que se llevaron a cabo allí de manera oficial nunca se publicaron, pero académicos como Doris Heyden y el profesor Millon afirman que en el México anterior a la Conquista cavernas como esa eran consideradas vientres simbólicos desde los que emergieron dioses como el Sol y la Luna y los ancestros de la humanidad en el pasado mitológico. Si bien dentro de la cueva no se encontró un manantial, se encontraron canales de desagüe en forma de U (los que recuerdan a los que utilizaban los olmecas), de manera que es posible que a través de ellos ingresara agua a la cueva. En algún momento, este espacio profundamente sagrado sufrió un saqueo de sus contenidos y se lo selló, pero el recuerdo de su ubicación puede haber persistido hasta épocas aztecas.

Podríamos preguntarnos qué fue lo que se encontró en este sub-suelo; qué descubrimiento podría haber sido tan importante como para tener que ocultarlo. Hallazgos tan significativos como un sistema de cuevas antiguas debajo de la pirámide más importante de México no son la clase de descubrimientos que los arqueólogos desestimarían. En este túnel debe haberse descubierto algo de una naturaleza tan inusual como para conmocionar las nociones arqueológicas aceptadas sobre el antiguo México. Puede ser algo tan trivial como una datación por carbono sobre algún material orgánico que arrojara una fecha hace decenas de miles de años, o algo más importante como algún objeto identificable de Medio Oriente o de algún otro lugar remoto.

También resulta interesante notar que muchas de las pirámides de Mesoamérica se construyeron sobre sistemas de cuevas naturales. Posiblemente haya muchas más de estas cuevas naturales debajo de pirámides conocidas en América del Norte esperando que las descubran, pero es probable que eso nunca suceda.

La historia conocida y desconocida de Teotihuacan posiblemente es una historia de ocupación por parte de diversas civilizaciones, y se estima que para el siglo VI de nuestra era la ciudad tenía una población de unas 200.000 personas. De acuerdo con Michael Coe, esto la habría convertido en la sexta ciudad más grande del mundo en esa época.

Para ese momento, Teotihuacan era una ciudad tolteca. Se cree que los toltecas ocuparon el complejo piramidal después de su construcción. Así, sus constructores se convierten en un misterio y se los conoce simplemente como la «cultura teotihuacana». Esta cultura está relacionada con los olmecas y recibió influencia epiolmeca. Con los hallazgos de Chalcatzingo en los años sesenta y setenta y el reciente descubrimiento del nuevo sitio olmeca de Zazacatla, cerca del municipio de Xochitepec, la fuerte influencia de los olmecas en el Valle de México y el lago Texcoco se considera ahora un hecho.

Durante siglos Teotihuacan fue la ciudad más importante de toda Mesoamérica, y sus relaciones comerciales llegaban hasta Costa Rica en el sur y Arizona en el norte. Tenía renombre por sus herramientas, armas y artefactos de obsidiana, y su influencia cultural y religiosa se extendía ampliamente. Las guerras toltecas llegaron hasta la zona de El Petén y Yucatán. Luego, repentinamente, Teotihuacan quedó abandonada y se convirtió en la ciudad fantasma de los dioses.

Generalmente se cree que el abandono de Teotihuacan coincidió con el florecimiento de Tollan (conocida como Tula), a unos ochenta kilómetros al norte, como la nueva capital tolteca. Al parecer, alrededor del 700 de nuestra era los toltecas construyeron Tollan como una versión en miniatura de Teotihuacan.

Fotografía de Tollan
(también conocida como Tula).
Fue construida por los toltecas,
al parecer, cerca del 700 d.C.

Las primeras excavaciones en la Pirámide de la Luna, las que no tuvieron lugar hasta 2004, descubrieron los restos óseos de docenas de hombres adultos. De acuerdo con lo informado el 6 de diciembre de ese año por el periódico londinense *The Guardian*, se había revelado que diez de esos hombres habían sido decapitados y que, aparentemente, todos ellos habían sido ofrecidos a los dioses. En el proyecto de excavación, que duró siete años y se adentró en las sólidas profundidades de piedra y tierra de la estructura, se encontraron otras tres ofrendas humanas de menor tamaño.

El arqueólogo mexicano Rubén Cabrera afirmó que en el sepulcro se encontraron dos hombres de estatus elevado profusamente adornados, entre otras cosas, con collares de concha en forma de mandíbula, típicos de los guerreros mesoamericanos. Estas personas, posiblemente apuñaladas por la espalda con pequeñas dagas de jade, estaban acompañadas por otros diez adultos sin cabeza con las manos y los pies atados. Todos los intersticios se habían llenado con huesos de pumas, jaguares, coyotes, lobos, águilas y serpientes y con un puñado de artefactos maravillosamente trabajados que incluía, entre otras cosas, cuchillos de sacrificio hechos de obsidiana.

Cabrera dijo que, en su última época de esplendor alrededor del año 300 d.C., Teotihuacan ocupaba casi veintiún kilómetros cuadrados y albergaba unas 150.000 personas. La ciudad desapareció trescientos años más tarde, consumida —según una teoría— por un levantamiento popular debido a la escasez de las cosechas. Este arqueólogo afirmó también que en la actualidad Teotihuacan es una de las civilizaciones precolombinas más estudiadas pero, curiosamente, sigue siendo una de las más incomprendidas por el momento.

Tal vez el final del Cuarto Mundo haya sido el final de Teotihuacan, aproximadamente alrededor del año 300 d.C. Parecería que los olmecas ya habían desaparecido mucho tiempo antes de eso, si bien la escritura y el arte epiolmeca siguieron en uso hasta alrededor de esas fechas.

## TEOTIHUACAN: UNA CIUDAD DE AGUA

Evidencia reciente demuestra que Teotihuacan fue una ciudad diseñada por ingenieros altamente capacitados con la intención de que el complejo piramidal fuera una ciudad canal con canales y lagos artificiales. Los primeros arqueólogos —quienes jamás imaginaron que la ciudad se había diseñado originalmente para que estuviera inundada— confundieron los canales y lagos artificiales con calles y plazas.

Cuán hermoso debe haber sido: pirámides gigantescas reflejadas en grandes cuerpos de agua, jardines flotantes de coloridos nenúfares y otras flores, botes que fondeaban junto a las escalinatas de alguno de sus tantos templos y pirámides. Durante casi 500 años, Teotihuacan habría florecido hasta convertirse en una de las ciudades más grandes y más hermosas del mundo.

Zechariah Sitchin, autor de obras sobre astronautas antiguos, menciona que este sistema de túneles, al igual que otros túneles dentro de la pirámide, se utilizaban como una especie de obras hidráulicas. Según Sitchin: «La evidencia del hecho de que la cueva original se transformó intencionalmente para un propósito determinado se encuentra en que el techo está hecho de bloques de piedra dura y que las paredes del túnel se alisaron con yeso... utilizando una variedad de materiales; los pisos, segmentados, están hechos por el hombre; las tuberías de desagüe tenían propósitos por ahora desconocidos (tal vez estaban conectadas con un curso de agua subterránea ahora extinto). Finalmente, el túnel termina debajo del cuarto nivel de la pirámide, en un espacio ahuecado que se asemeja a un trébol, sostenido por columnas de adobe y losas de basalto».

Al respecto de la extensa «Avenida de los muertos» que une las dos pirámides, Sitchin afirma: «La cavidad de la avenida está revestida con paredes y estructuras de poca altura que forman seis compartimentos semisubterráneos a cielo abierto. Las paredes perpendiculares cuentan con conductos al nivel del piso. Da la impresión de que la totalidad del complejo sería para canalizar el agua que corría por la avenida. La corriente puede haberse iniciado en la Pirámide de la

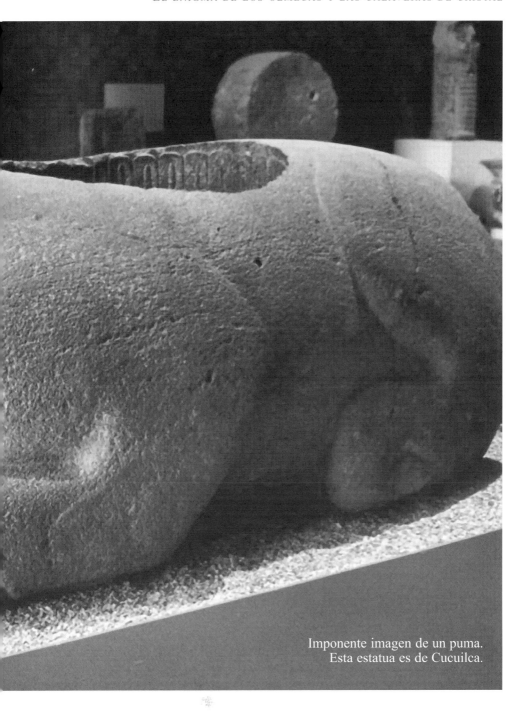

Imponente imagen de un puma.
Esta estatua es de Cucuilca.

Luna (se encontró un túnel subterráneo que la circundaba) y estar relacionada de alguna manera con el túnel subterráneo de la Pirámide del Sol. La serie de compartimentos retenía y luego dejaba pasar el agua de uno a otro, hasta que finalmente el agua llegaba al canal de desviación del río San Juan».

«¿Pueden haber sido estas cascadas y corrientes de agua artificiales la razón por la que se decoró la fachada de la Pirámide de Quetzalcóatl —ubicada tierra adentro, a cientos de kilómetros del mar— con aguas ondulantes?», plantea el autor.

Parecería que Teotihuacan se trazó y construyó como una especie de obra hidráulica que inundó de agua la ciudad. ¿Tuvo esto que ver con algún proceso tecnológico? Además, tenemos el curioso descubrimiento de enormes placas de mica en la Pirámide del Sol.

Sitchin concluye: «Junto al tercer segmento por debajo de la Pirámide del Sol, la excavación de una serie de cámaras subterráneas interconectadas reveló que algunos de los pisos estaban cubiertos por capas formadas por gruesas placas de mica. Este es un silicato cuyas propiedades especiales lo hacen resistente al agua, el calor y las corrientes eléctricas. Por esa razón, se lo ha utilizado como aislante en varios procesos químicos y aplicaciones eléctricas y electrónicas y, en épocas más recientes, en los ámbitos de la tecnología nuclear y espacial.

«Las especiales propiedades de la mica dependen en cierta medida de su contenido de otros oligoelementos y, por lo tanto, de su fuente geográfica. De acuerdo con la opinión de algunos expertos, la mica que se encontró en Teotihuacan es de una clase que solo se encuentra en el distante Brasil. También se encontraron rastros de esta clase de mica en restos que se sacaron de los diferentes niveles de la Pirámide del Sol cuando se la descubrió a comienzos del siglo XX. ¿Qué uso se le daba a este material aislante en Teotihuacan?

«Nuestra impresión es que... la avenida inclinada, la serie de estructuras y cámaras y túneles subterráneos, el río desviado, las secciones semisubterráneas con sus conductos y los compartimentos subterráneos revestidos con mica, eran todos componentes de una planta científicamente diseñada para la separación, refinamiento o purificación de sustancias minerales».

Por lo tanto, cada vez hay más evidencia de que Teotihuacan fue una ciudad cubierta por grandes cantidades de agua corriente, posiblemente una gran refinería de oro u otros metales. Sitchin sostiene además que las ruinas de Tiahuanaco, en Bolivia, se construyeron con un objetivo similar y que esa ciudad también tenía canales subterráneos con capacidad para grandes cantidades de agua. Resulta interesante notar la similitud en los nombres de las dos grandes estructuras antiguas. Que la mica que se utilizó en Teotihuacan viniera supuestamente de Brasil es un punto que, en sí mismo, podría cambiar por completo nuestra idea del intercambio entre América del Norte y del Sur.

Finalmente, al igual que otras civilizaciones de América, colapsó; si no hubo un estado de guerra antes de su caída, la guerra y los sacrificios humanos seguramente siguieron a su colapso. Al final, la decadencia de Teotihuacan dejó un vacío en la región central de México que no se llenaría hasta la llegada de los aztecas a Texcoco, varios cientos de años después.

Otro misterio es por qué nunca se encontró un sepulcro real —o, al menos, indicios de uno. Mientras que se encontraron restos de sacrificios de individuos decapitados dentro de las pirámides, las que tienen gran cantidad de túneles, en su mayoría llenos de escombros, no hay pruebas de que se las haya erigido como tumbas reales, como podría haberse pensado.

Si no eran tumbas reales —cosa que la mayoría de los arqueólogos creían de las pirámides—, ¿qué función tenían? ¿Eran únicamente centros ceremoniales, o tenían alguna otra finalidad? Se han encontrado pirámides en todas partes del mundo, desde China, Egipto y las Islas del Pacífico hasta América del Norte y del Sur. Muchas de estas pirámides, como las de Teotihuacan, se asocian con agua y lagos artificiales —al igual que las de Guiza, las que alguna vez tuvieron en sus alrededores un gran lago conocido como el lago Moeris. Este lago también tenía una pirámide en el centro, tal como se cree de Teotihuacan. La Venta también se construyó sobre una isla artificial en el medio en un río desviado.

Portal de piedra construida
en el Monte Alban
en Oaxaca, México.

Por otra parte, ¿cuál era la función de las placas de mica y cómo se las trasladó hasta allí desde América del Sur? Claramente, debe haber sido por barco (ya que, en general, no se conoce a los antiguos mexicanos por sus aeronaves), pero ¿por qué era tan importante traer estas placas de mineral? ¿Tendría algo que ver con los procesos de minería —como con el lavado de la mena— o tenía algún otro propósito, por ejemplo cargar el agua de toda la ciudad o convertirla en un objeto brillante visible a la distancia?

Descubrimientos recientes en Teotihuacan demostraron que los sacrificios que se realizaban allí involucraban víctimas traídas desde distancias considerables. Esto, al igual que otras evidencias encontradas en los últimos tiempos, demuestra que los mesoamericanos —incluidos los olmecas— se trasladaban por largas distancias, aun en el pasado remoto. Si bien las víctimas descubiertas en Teotihuacan pertenecen a uno de los periodos más recientes en su larga historia, esto de todas formas demuestra que las personas viajaban a lugares distantes en la antigua Mesoamérica.

Según un cable de Reuters emitido en Ciudad de México el 11 de abril de 2007:

> Según afirmó un arqueólogo el miércoles, durante siglos los antiguos pobladores de México trajeron a las víctimas de sus sacrificios humanos desde lugares ubicados a cientos de kilómetros de distancia para consagrar una pirámide en la ciudad más antigua de América del Norte.
>
> Pruebas de ADN realizadas a los esqueletos de más de 50 víctimas descubiertas en 2004 en la Pirámide de la Luna en las ruinas de Teotihuacan revelaron que estas pertenecían a culturas mayas o de las costas del Pacífico y el Atlántico.
>
> Los cuerpos, muchos de los cuales habían sido decapitados, datan de entre los años 50 y 500 de nuestra era y fueron muertos en diferentes momentos para dedicar nuevas etapas de la construcción de la pirámide ubicada al norte de Ciudad de México.
>
> Es probable que a las víctimas se las haya capturado en tiempos de guerra u obtenido mediante alguna acción diplomática, dijo el arqueólogo Rubén Cabrera, quien dirigió la excavación de la pirámide. La Pirámide de la Luna y la Pirámide del Sol, más grande aún, son las dos pirámides prin-

Sarcófago encontrado durante la excavación en La Venta en 1945.

Dibujo de figura olmeca encontrada en Guatemala.

cipales de Teotihuacan, ciudad que albergó 200.000 habitantes en el auge de su poderío, alrededor del año 500.

«Teotihuacan puede haber tenido una tradición de capturar prisioneros para sacrificios»," afirmó Cabrera.

Civilizaciones mexicanas antiguas, como los aztecas, sacrificaban seres humanos a los que les quitaban el corazón, pero los investigadores no están seguros de cómo murieron las víctimas encontradas en Teotihuacan.

Poco se sabe acerca de la raza que habitó esta ciudad, o sobre qué idioma hablaba. El lugar, sitio arqueológico más antiguo e importante de México, fue venerado por civilizaciones mesoamericanas posteriores, incluidos los aztecas —quienes le dieron su actual nombre, el que significa «Lugar donde se hacen los dioses» en náhuatl, su idioma.

Lentamente, Teotihuacan ha empezado a desvelar algunos de sus misterios. ¿Estuvo el Valle Central de México, el que incluye Teotihuacan, el lago Texcoco, Cuicuilco, Chalcatzingo y Zazacatla, originalmente ocupado por los olmecas? ¿Fue el final del Cuarto Mundo la caída de La Venta, alrededor del 400 a.C., y luego el colapso de Teotihuacan, circa 300 de nuestra era, el que llevó al fin a los olmecas y su imperio? ¿Cuál es la relación entre estos dos sucesos? Parecería que al colapso del imperio de la costa del Atlántico alrededor del 400 a.C. lo siguió la caída de imperio del Valle Central y el lago Texcoco, unos 600 años más tarde.

Si los volcanes destruían centros como Cuicuilco y Chalcatzingo al tiempo que llevaban la muerte a los lagos y ríos cercanos en la forma de cenizas volcánicas, es posible que los olmecas se hayan retirado hasta Teotihuacan para observar cómo los volcanes vomitaban sus cenizas al rojo vivo al cielo nocturno. Teotihuacan propiamente dicha no se vio perturbada por los derrames de lava que cubrieron Cuicuilo y otras áreas en esa época.

La zona capital alrededor del desbordante lago Texcoco estuvo terminada y llegaron a ella refugiados desde todas las direcciones. Algunas regiones se levantaron contra los epiolmecas y destruyeron los centros de esa cultura. Muchas ciudades quedaron destruidas debido a los cambios de la Tierra y a sus posteriores caídas tras haber

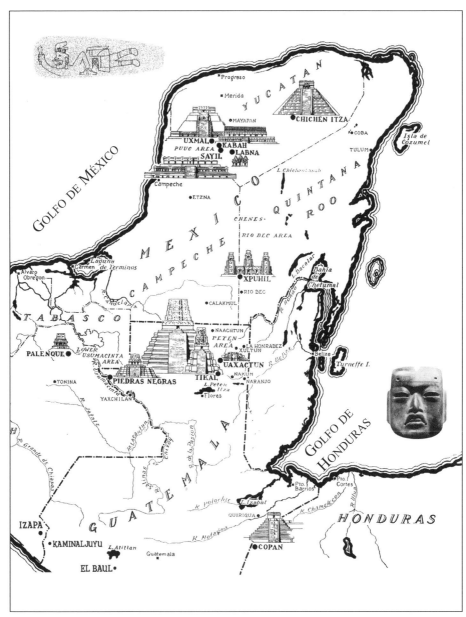

Centros arquitectónicos mayas y olmecas en Yucatán y los alrededores.

llegado al máximo esplendor. Los olmecas, quienes originalmente controlaron el Istmo de Tehuantepec, cayeron en la oscuridad hasta que los arqueólogos los resucitaron.

Si bien ahora tenemos cierto entendimiento de la desaparición de los olmecas, ¿nos ayudará este a comprender quiénes eran? Realmente, no. La identidad de los olmecas sigue siendo un rompecabezas envuelto en un enigma. No será hasta que analicemos el misterio del *quizuo* y la deformación craneana que podremos vislumbrar aunque sea un poco sobre quiénes fueron los olmecas en realidad.

# Capítulo 3
# La extraña posición *quizuo*

Lo que confirma la presencia africana son los cráneos y esqueletos de africanos
que se hallaron en asentamientos olmecas.
Dr. Ivan van Sertima, *African Presence in Early America* (1987)

## Entregarse a discreción en *quizuo*

En lo que respecta a los olmecas, el gran debate en la comunidad arqueológica gira en torno a si existen pruebas claras de influencia externa —de carácter transoceánico— sobre esa cultura. Una de las pruebas de que echan mano algunos académicos es el uso de la inusual postura de rodillas conocida como *quizuo*.

Uno de los proponentes del difusionismo en el sistema universitario tradicional es el Dr. Ivan van Sertima de la Universidad de Rutgers en Nueva Jersey. Este académico nació en Kitty Village, Guyana, Sudamérica, el 26 de enero de 1935. Estudió en la Facultad de Estudios Orientales y Africanos de la Universidad de Londres, donde se graduó con honores. De acuerdo con su biografía, se desempeñó como secretario de Prensa y Difusión para Guyana Information Services entre 1957 y 1959. En 1970 arribó a los Estados Unidos, donde terminó sus estudios de postgrado en la Universidad de Rutgers, en Nueva Jersey. El Dr. Van Sertima comenzó su carrera docente como instructor en esa misma universidad en 1972 y en la actualidad es titular de la cátedra de Estudios Africanos del Departamento del mismo nombre y editor de la publicación sobre esa materia, *The Journal of African Studies.*

Van Sertima promueve de manera activa la teoría difusionista de que el hombre de la antigüedad cruzó tanto el Atlántico como el Pacífico y de que existió un prolongado contacto transoceánico. Sus libros, *African Presence in Early America, African Presence in Early Asia,* y *They Came Before Columbus* están llenos de artículos y fotografías que muestran, sin lugar a dudas, que las personas de raza negra vivieron, literalmente, en todo el mundo —incluido en antiguo continente americano.

Este autor traza numerosos paralelos entre las estatuas olmecas y las del antiguo Egipto, India, China y las islas del Pacífico; paralelos que, según afirma, no pueden ser mera coincidencia. Van Sertima, originalmente lingüista, es uno de los principales impulsores del fascinante tratado de su colega, el arqueólogo Wayne B. Chandler, sobre el *quizuo* como costumbre mundial.

La postura *quizuo* es la que se ve en las estatuas y figurillas que están arrodilladas con las manos a los costados o sobre las rodillas. El rostro puede estar mirando hacia adelante, hacia abajo o apenas inclinado hacia arriba. Estas estatuas que muestran una postura distinguible y extraña —que al parecer representa algún tipo de sometimiento a un rey, sacerdote o algún otro tipo de autoridad— pueden encontrarse en lugares tan distantes como la Isla de Pascua, China, Pakistán, Egipto y los numerosos emplazamientos olmecas de México.

En su monografía de 1986, *Trait-Influences in Meso-America: The African-Asian Connection* incluida en el libro de Van Sertima *African Presence In Early America*, Wayne B. Chandler afirma que la postura *quizuo* se utilizaba en la China de la dinastía Shang circa 1300-1100 a.C. También muestra una figura olmeca de jade en postura *quizuo* que se encontró en La Lima, Valle de Ulúa, Honduras, datada alrededor del 1150 a.C.

Además, Chandler muestra figuras de la China de la dinastía Shang (1600-1028 a.C.) de alrededor del 600 a.C. que lucían un peinado al estilo mohicano y estaban arrodilladas en postura *quizuo*. Una famosa estatua encontrada en La Venta es idéntica a esa: la figura tiene el cabello peinado en una cresta y está en postura *quizuo*.

Chandler afirma que este curioso estilo para peinarse el cabello que utilizaron los olmecas, colombianos, africanos y aborígenes mohicanos del río St. Lawrence entre Canadá y Nueva Inglaterra, así como los chinos durante la dinastía Shang —y que aún se utiliza en el presente— está relacionado con los magos de la antigua China. Según este autor:

> La presencia de este peinado en la cultura shang y luego entre los olmecas denota una fuerte y clara transmisión de una característica genética. Este estilo era inicialmente propio de las culturas shang y olmeca, pero luego llegó hasta la cultura San Agustín de Colombia, influenciada por la shang. Esto puede verse en casi todas sus esculturas en piedra... La evidencia indica que originalmente solo los chamanes y magos de las culturas olmeca y shang utilizaban este peinado, de la misma manera en que, en tiempos remotos, los únicos que lucían rastas eran los sumos sacerdotes o sadhus de la India.

El del *quizuo* es un misterio perdurable. ¿Por qué se arrodillan estas personas en esa curiosa postura con las manos sobre las rodillas? Un hombre con las manos así dispuestas se encuentra en una posición muy servil. Con un gesto comparable con un apretón de manos o con mostrar las manos abiertas, estas personas están mostrando que no tienen un arma. Es justamente esta característica de absoluta indefensión la que resulta tan fascinante sobre la postura *quizuo* de rodillas. La persona en postura *quizuo* se mostraba sumisa y completamente indefensa, estaba literalmente arriesgando el pellejo, abriéndose a un castigo o recompensa. La postura evoca a alguien a punto de ser decapitado o convertido en caballero. De hecho, cuando la reina de Inglaterra coge una espada para otorgar la dignidad de cabalero a una persona arrodillada ante ella, ¡bien podría cortarle la cabeza!

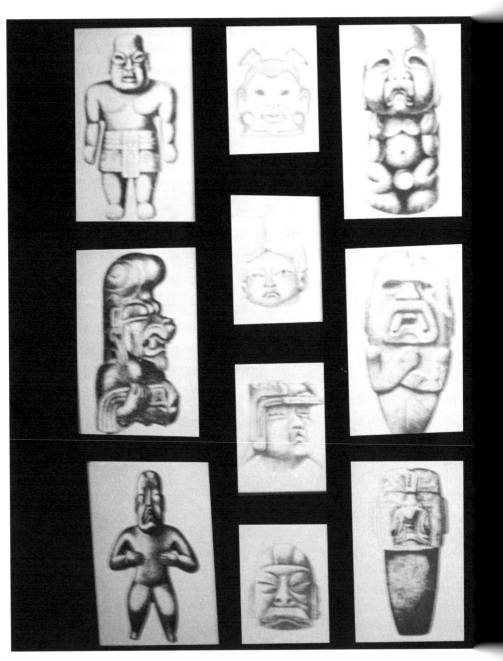

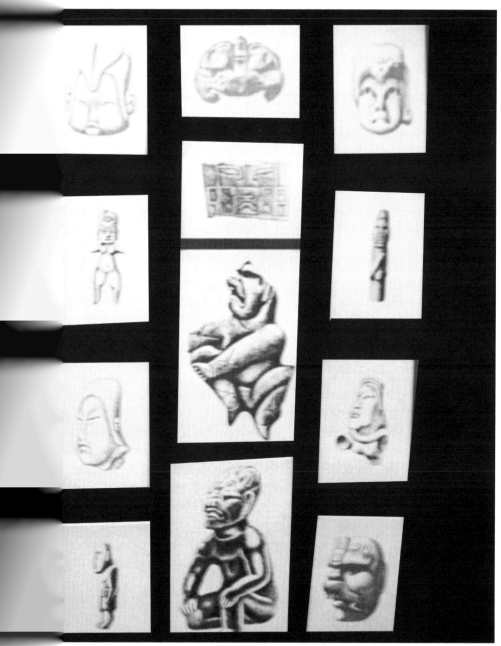

Figurines de Comcalco. Es importante notar que los rostros
y las expresiones son muy similares a las de los chinos.

El antiguo rito del *quizuo* está presente en la conocida historia del encuentro de la reina Isabel I con el comandante Francisco Drake (*el Dragón*) al regreso de su famoso viaje alrededor del mundo. Drake fue el segundo almirante en circunnavegar el mundo de manera oficial (el primero en realidad, ya que Magallanes encontró la muerte en las Filipinas), y al regresar en 1581 recibió a bordo de su embarcación *Golden Hind* la visita de la reina, quien quería que él respondiera por su incursión en las colonias españolas de Sudamérica. La reina le ordenó que se arrodillara frente a ella, al tiempo que desenvainaba una espada. Tras interrogar al almirante, levantó la espada como si fuera a decapitarlo con ella. Podríamos preguntarnos si Drake tenía las manos sobre las rodillas mientras se entregaba a su destino. La reina Isabel bajó la espada suavemente sobre los hombros de Drake y lo nombró «Sir».

Cuando Cristóbal Colón partió de España en 1492 fue nombrado servidor del reino de manera similar por la reina Isabel *la Católica*, ante quien adoptó la postura *quizuo* para que ella le diera permiso para ir a explorar.

Resulta interesante notar que la postura de sumisión *quizuo* no es únicamente una tradición de épocas remotas, sino que es algo que llega hasta nuestros tiempos. Cuando Su Majestad confirió a personas como Paul McCartney, Mick Jagger y Richard Branson la dignidad de «Sir», ellos debieron adoptar por un momento esa postura.

De acuerdo con lo que puede observarse en las estatuas, la postura *quizuo* no se reservaba a reyes y emperadores. Al parecer, era una postura para chamanes, altos dignatarios, embajadores, generales, almirantes y otros servidores del reino. Una posibilidad es que estas figuras representen a importantes servidores o diplomáticos en el momento de prestar juramento al asumir sus cargos. En ese sentido, sería al mismo tiempo una postura de sometimiento y de poder.

Resulta curioso que la postura *quizuo* se asocie más con los olmecas que con cualquier otra cultura. Si bien se han encontrado estatuas en esta posición en todo el mundo, se las conoce principalmente por su preponderancia en asentamientos olmecas. ¿Fue la tierra de Olman, extendida por el Istmo de Tehuantepec —el equivalente al Canal de Panamá de nuestros días— una tierra de embajadores, diplomáticos, almirantes y marinos de todo el mundo, un centro portuario y comercial de mercaderes y chanchulleros? ¿Era eso la antigua Olman?

Egipto, Harappa, Isla de Pascua y otras zonas

Pueden encontrarse estatuas en la postura *quizuo* en lugares tan diversos como Egipto, Isla de Pascua, Mohenjo Daro (Pakistán), China, Tiahuanaco, Mesoamérica y muchos otros lugares. Una vez que la postura *quizuo* esté más difundida entre los arqueólogos e historiadores, ¿la reconocerán como evidencia de una práctica que unifica a las culturas de todo el mundo?

## LAS CONEXIONES OLMECAS CON ÁFRICA

Otras similitudes que Van Sertima señala son el uso de narigueras de jade, tatuajes y adornos específicos para el rostro, peinados extraños y gestos especiales. Por ejemplo, Van Sertima sostiene que el particular peinado mohicano o cresta era originalmente típico de los magos de la China de la dinastía Shang —alrededor del 600 a.C.— así como de los magos olmecas de la misma época o incluso antes. Si bien se lo creía exclusivo de las culturas olmeca y shang, Van Sertima especula que luego llegó hasta San Agustín en Colombia.

Este arqueólogo y su colega Wayne B. Chandler señalan que el peinado mohicano se asocia en general con la postura *quizuo*, si bien la mayoría de las figuras no tiene el cabello de esa forma. Las estatuas *quizuo* que se encontraron en diferentes partes del mundo son variadas y lucen desde turbantes y sombreros de piel hasta cráneos alargados, calvicies o algún peinado especial. En algunas estatuas olmecas se encontraron jeroglíficos en los sombreros de piel que pueden hacer referencia a la identidad o el rango de la persona representada.

Esta conexión con los magos de la cultura shang de China y con el peinado mohicano le da mayor credibilidad a la teoría de que los olmecas eran en parte almirantes y embajadores de dicha cultura

Estatua olmeca hallada en La Venta en la posición *quizuo*.

Estatua china con un corte de pelo similar al de la estatua olmeca de la izquierda. Ambas también mantienen la posición *quizuo*.

Estatua olmeca de Las Bocas, Jalisco. Mantiene también una posición *quizuo*.

Estatua olmeca de Nicaragua en la posición *quizuo*.

Estatua egipcia en la posicón *quizuo*.

Otra estatua olmeca en la posición *quizuo*.

Estatua china en la posición *quizuo*, 1300 a.C.

Estatua de la cultura Tiahuanaco (Bolivia), manteniendo la posición *quizuo*.

oriental quienes, en muchos casos, eran eunucos. Sobre estos eunucos especialmente capacitados, quienes habrían comprendido el concepto de *quizuo*, se volverá en un capítulo posterior.

En su libro *They Came Before Columbus*, Van Sertima afirma:

> La destrucción de las culturas africanas más desarrolladas debido a las enormes y continuas invasiones europeas dejó muchos sobrevivientes en la periferia o anillo externo de lo que constituía lo mejor de las civilizaciones de África. La aparición de nuevos datos que desafían esta imagen generó tal consternación e incredulidad que algunas de las voces más respetadas de la comunidad científica dominante están montando una campaña extraordinariamente sensible para desestimar esa nueva información
>
> Aquella corriente del Egipto dinástico africano se ha reducido de manera significativa. Los hallazgos arqueológicos más recientes se han puesto a la altura de los creadores de mitos. Se está reconstruyendo la historia de África cada vez más sobre la base de datos objetivos y contundentes en lugar de hacerlo sobre especulaciones egoístas y teorías racistas sobre los bárbaros negros.

Los indios de esta española dijeron que habían llegado personas negras que portaban lanzas cuyas puntas estaban hechas con un metal que ellos llaman *gua-nin*, del cual Colón había enviado a los soberanos muestras para su análisis y se determinó que de las 32 piezas, 18 eran de oro, 6 de plata y 8 de cobre. El origen del término *guanin* puede rastrearse hasta las lenguas mangue de África occidental, como mandingo, kabunga, toronka, kankanka, bambara, mandé y vei. En vei tenemos la forma de la palabra *ka-ni*, la que transliterada a la fonética nativa, equivaldría a *gua-nin*.

Van Sertima, un experto en lenguas africanas, muestra muchos ejemplos en los que los nombres, culturas y rituales de los mandingos coinciden con aquellos de los americanos de la antigüedad. En lo que respecta a los estudios sobre el pueblo olmeca, su afirmación de que el culto africano al hombre lobo *bambara*, cuya cabeza se conoce como *amantigi* («cabezas de fe») apareció en rituales mexicanos como *amanteca*, es muy importante. Según Van Sertima, las ceremonias que acompañan estos rituales son demasiado idénticas como para haber evolucionado de manera independiente en pueblos que no tuvieron ningún encuentro previo. De acuerdo con uno de sus ejemplos, el término «diablo parlante» en mandingo es *hore* y *haure* en caribe. En la lengua náhuatl, de la cultura azteca-mixteca, a los taparrabos se los llama *maxtli*, mientras que en el dialecto africano de malinké se llama *masiti* a la misma prenda. En México, al taparrabos femenino se le llamaba *nagua*, mientras que en el dialecto mandé de África occidental el término es *nagba*.

Según Van Sertima:

> ...Los términos malinké para «fumar» son dyamba y dyemba. Estos podrían estar relacionados con los equivalentes de algunos dialectos sudamericanos para la misma acción: dema en guipinavi; iema en traiana ; jema en maipure; sema en guahiba; scema en caberi; djeema en baniva, etcétera. El término mandingo duli («fumar»), que se mantiene igual en las lenguas toma y bambara y en mende se presenta con las variaciones nduli y luli, puede encontrarse en las lenguas americanas caribe, arawak, chavante, baniva, acroamirin y goajira. El término africano para «banana» también aparece en estos idiomas americanos...

Van Sertima menciona que los primeros exploradores encontraron ocasionalmente algunas aldeas pobladas por completo por personas negras:

> En 1513 Vasco Núñez de Balboa —otro usurpador español— se encontró con un grupo de prisioneros de guerra africanos en un asentamiento indígena. Le dijeron que los negros vivían cerca y que constantemente estaban haciendo la guerra. Un sacerdote, fray Gregorio García, escribió un relato sobre otro encuentro en un libro que fue silenciado por la Inquisición: «Encontramos aquí esclavos del Señor—negros—, quienes fueron los primeros a quienes los nuestros vieron en las Indias.»

Van Sertima es un miembro respetado de la comunidad académica, por lo que los aislacionistas se ven obligados a responder a sus teorías —si bien, en general, apenas las desestiman en pocas frases sin rebatir realmente sus afirmaciones. El uso extendido de la postura *quizuo*, incluso entre los olmecas, sencillamente se ignora. Sus críticos llaman a Van Sertima «afrocentrista» y sostienen que ese académico cree erróneamente que todas las culturas, incluidas la de México, provienen de África. Si bien ese no es su verdadero mensaje, este tipo de opiniones de sus detractores sirven para trivializar su cuidadosa investigación.

En el marco de una arqueología moderna tan dominada por las teorías aislacionistas según las que los océanos son barreras y no carreteras, el argumento final y desesperado detrás de ese aislamiento es un argumento racista. Es racista afirmar que las otras culturas estaban ocupadas creando centros de intercambio en el Istmo de Tehuantepec y en otras regiones. En cambio, se supone que todos los indígenas americanos con características negroides deben haber emigrado a través del puente de Beringia durante la última glaciación.

El difundido argumento de que los negros llegaron junto con otros cazadores siberianos a través del Estrecho de Bering alrededor de 12.000 años atrás puede encontrarse en el libro *Los antiguos reinos de México* del arqueólogo inglés Nigel Davies, un crítico de las teorías relacionadas con el cruce de los mares en la antigüedad. Davies rechaza de plano las teorías según las cuales los fenicios, egipcios, chinos, vikingos y cualquier otro pueblo llegaron a México en barco. Sin embargo, a diferencia de otros historiadores, está dispuesto a admitir que los olmecas son de raza negra. Su explicación al respecto de los olmecas con características negroides de México es interesante.

En su libro (páginas 26-27 de la edición original en inglés), Davies afirma:

> Dado que en el arte precolombino se representan características negroides, seguramente exista una explicación más lógica de ello que no dependa de fantasías que incluyan marinos africanos. Pueden encontrarse diversos pueblos negroides en Asia y en África, y no existe una razón para que al menos algunos de ellos no se hayan unido a los grupos migratorios que cruzaron el puente de Beringia que unió el noreste de Asia y el noroeste de América por tantos milenios.
>
> Los habitantes originarios de muchas tierras ubicadas a orillas del océano Índico —incluida la India, la península malaca y las Filipinas— eran hombres pequeños con características negroides que aún existen en

nuestros días. No hace falta ir más lejos que al Aeropuerto Internacional de Manila para comprobar su existencia: cerca de ese aeropuerto se encuentra el Museum of Philippine Traditional Cultures. Frente a la entrada hay una pared cubierta con fotografías de «rostros desconocidos». En marcado contraste con los típicos filipinos de la actualidad, quienes tienen rasgos mongoloides, muchos de estos aborígenes tienen piel oscura y se los conoce como «negritos». En la actualidad viven dispersos en el lado oriental de la isla principal, Luzón, y en su mayoría tienen labios gruesos y piel negra. Los weddas de Ceilán son otro de estos grupos de nativos negroides. Por lo tanto, no es para nada sorprendente que esos grupos se hayan unido a las filas de aquellos emigrantes primitivos que cruzaron el puente de Beringia antes de que se hundiera entre las olas. Su presencia ofrece una explicación más lógica de los rasgos negroides que cualquier otra que se haya dado.

Por lo tanto, aún si se acepta la incierta premisa de que el arte olmeca está basado en la representación de verdaderos miembros de la raza negra, esto no confirma la conclusión de que ese pueblo era africano. En la actualidad, es perfectamente posible encontrar en Tabasco personas con rostros parecidos a los de aquellas cabezas colosales, cuyos rasgos de algún modo traen a la mente las grandes tallas en piedra de la cultura cham de Camboya, otro país en el que aún puede encontrarse población aborigen con características negroides.

Si bien este argumento no parece irracional en la superficie —es posible que gente de todos los colores haya errado por los continentes en la antigüedad— no es convincente en cuanto a que no existió una colonización (desde cualquier punto del globo) por mar.

Es importante señalarle a Davies y a otros arqueólogos que siguen esa corriente que es «perfectamente posible encontrar en Tabasco personas con rostros parecidos a los de aquellas cabezas colosales...». Si los africanos colonizaron tabasco tal como proponen Van Sertima y otros, entonces habría sido normal que formaran parejas y tuvieran hijos —hijos que, por supuesto, se parecieran a sus padres, al igual que sus descendientes. Por lo tanto, esto parece ser más evidencia del difusionismo que del hecho de que alguna tribu de raza negra aislada haya caminado a través del Estrecho de Bering hace miles de años.

¿Por qué a los arqueólogos de la corriente dominante les parece imposible que los pueblos antiguos se hayan trasladado en embarcaciones? ¿Cómo supone Davies que los negros llegaron a las islas Filipinas? La forma en que llegaron los negros, supuestamente originarios de África, a poblar islas del Pacífico tan remotas como Nueva Guinea, las Islas Salomón, la República de Vanuatu, Nueva Caledonia y Fiyi es un misterio de la historia.

¿Supone Davies que la miríada de islas del Pacífico fueron pobladas por grupos que cruzaron a pie antiguos puentes de tierra? Mientras estos supuestos expertos se ven obligados a admitir que los polinesios y micronesios colonizaron islas remotas en el Pacífico, muchas de las cuales son puntos diminutos de tierra a miles de kilómetros de todo, ¡no pueden admitir que marineros de épocas remotas pudieron haber encontrado de manera similar continentes tan grandes como América del Norte y del Sur! En la misma línea, se acepta que los malasios que atravesaron el océano Índico hasta un rincón remoto del sureste africano colonizaron Madagascar, mientras que se cree que marinos antiguos con navíos sofisticados como los chinos, egipcios, fenicios o indios nunca podrían haber imitado tal proeza.

Los arqueólogos aislacionistas modernos han adoptado un nuevo enfoque: ahora llaman a cualquiera que sugiera que existió tráfico transoceánico a través del Atlántico o Pacífico «racista» de una u otra clase. Los académicos mayistas han aplicado con éxito este enfoque al mantener que es racista sostener que los pobladores de América Central no pudieron haber creado su propia cultura y que recibieron diversas influencias de otras culturas.

Sin embargo, parecería que no es racista afirmar que otras culturas fueron incapaces de construir embarcaciones y de cruzar el Atlántico en la misma manera en que los europeos de España y Portugal lo harían miles de años más tarde. ¡Intentad decirle a un profesor de historia afroamericano que cree en el tráfico transoceánico que es racista por creer que los africanos atravesaron el Atlántico y crearon un imperio en América Central!

Ahora a los arqueólogos se les presenta un enigma que explicar: ¿Por qué muchas de las figuras olmecas se parecen tanto a los africanos? ¿Cómo es posible que figuras con aspectos tan obviamente africanos no tengan relación con África? Arqueólogos como Van Sertima dicen que los olmecas parecían africanos porque eran africanos. Los aislacionistas miran hacia otro lado, y su explicación es que algunos indígenas americanos sencillamente tienen rasgos africanos y que todos arribaron a través de un istmo siberiano. Cualquier similitud entre los olmecas y los africanos o con los africanos que llegaron a través de Asia y el Pacífico (como en el caso de las islas de Melanesia, las Islas Andamán, etcétera) es mera coincidencia. La postura *quizuo* también es una coincidencia y, si bien es un fenómeno cultural internacional, las estatuas que se encontraron en lugares distantes en esta misma posición no están necesariamente conectadas. De hecho, los académicos que defienden la corriente principal ignoran la postura *quizuo*, ya que es muy poco probable que el estudio de la misma aporte algo a la perspectiva aislacionista.

¿Cuándo comenzará a aceptarse que los olmecas formaban parte de una especie de sofisticado imperio naval transoceánico? Esa era una época en la que grandes navíos exploraban el mundo; una época durante el Tercer Mundo en la que los antiguos reyes del mar reinaban sobre la Tierra. La postura *quizuo* era parte de esta red antigua. También formaba parte de ella la extraña costumbre de la deformación craneana. Pero antes, debemos analizar los contactos transoceánicos con los olmecas en mayor detalle.

Otra sorprendente similitud entre culturas es la posición que presentan varias
imágenes al cargar a un bebé.

San Agustin, Colombia. Otra estatua cargando a un bebé con una postura idéntica a la anteriormente mecionada.

117

# Capítulo 4
# El comercio transoceánico

Lo que resulta asombroso es que en todas partes de México, desde Campeche al
este hasta la costa sur de Guerrero y desde Chiapas, junto a la frontera con
Guatemala, hasta el río Panuco en la región Huasteca, al norte de Veracruz, se
han encontrado piezas arqueológicas que representan personas negras o con rasgos negroides, especialmente en asentamientos arcaicos o del Preclásico.
—Alexander von Wuthenau,
*Unexpected Faces in Ancient America* (1986)

## El misterio del comercio transoceánico

Como ya hemos comenzado a ver, si nos mantenemos en la posición estrecha de miras de que la olmeca fue una cultura aislada de las
demás culturas mesoamericanas y de que estuvo aislada también del
contacto transoceánico, nunca resolveremos los numerosos misterios
relacionados con ese pueblo. Por otra parte, si analizamos las posibilidades y la evidencia del contacto con culturas del otro lado del
océano —tanto del Atlántico como del Pacífico— posiblemente
podamos desentrañar el enigma que constituyen los olmecas.

Para esclarecer parte del misterio del comercio transatlántico,
echemos un vistazo a la antigua ciudad de Comalcalco, el sitio maya
más occidental conocido en México. Comalcalco se encuentra cerca
de la costa del Golfo de México, un poco al oeste del delta del río
Usumacinta —el importante río que lleva a las ciudades mayas empla-
zadas en las profundidades de la región de El Petén, en Guatemala.

Comalcalco fue una importante ciudad puerto maya que alcanzó el esplendor entre el 700 y el 900 de nuestra era. Al igual que muchos asentamientos mayas, sin duda es mucho anterior a este periodo maya Clásico: con los recientes descubrimientos en Nakbé, El Petén, su origen podría remontarse al 1000 a.C., o incluso antes. Se cree que Comalcalco, tal como sucede con muchas otras ciudades mayas, estuvo ocupada por los olmecas. Las ciudades puerto a menudo desaparecen bajo la fuerza de los huracanes, y es posible que a Comalcalco se la haya reconstruido muchas veces a lo largo de cientos e incluso miles de años. En la época de la conquista española Comalcalco seguía siendo un próspero puerto maya, pero su decadencia comenzó al poco tiempo de llegar los conquistadores.

Esta ciudad es inusual por dos razones. La primera es que, dado que en la zona no hay rocas para construir, Comalcalco está construida con ladrillos de barro. Los mayas erigieron enormes estructuras de ladrillo en esa ciudad, como la que no hay otra en el mundo maya. El otro aspecto de Comalcalco que la hace única es que muchos de esos ladrillos tienen inscripciones sobre ellos. En 1977 y 1978, el Instituto Nacional de Antropología e Historia hizo excavaciones en el sitio y descubrió que estaba conformado en su totalidad por ladrillos horneados. Además, se descubrió que aproximadamente el 3 por ciento de los ladrillos del lugar tenía inscripciones.

En un estudio realizado por el arqueólogo mexicano Neil Steede para el Instituto Nacional de Antropología e Historia, se descubrió que 3.671 ladrillos portaban inscripciones. De estos, 2.129 (el 58 por ciento) tenía jeroglíficos mayas y 499 (el 13,6 por ciento) tenía inscripciones del Viejo Mundo en árabe, fenicio, libio, egipcio, ogham, tifinag, chino, birmano y pali-birmano (de hecho, 640 ladrillos —el 17,3 por ciento— tenía inscripciones del Viejo Mundo, pero si alguno de ésos tenía jeroglíficos mayas y alguna nota en esas otras lenguas se lo contaba dentro de la categoría de ladrillos mayas). Había otros ladrillos con dibujos (735, el 20 por ciento), y 308 eran una mezcla o se desconocen los detalles (el 8,4 por ciento del total).

De acuerdo con Steede, se llevó un juego completo de fotografías de los ladrillos a la Sociedad Epigráfica de San Diego, Califor-

Pequeña figura olmeca. Este representa un bebé eunuco.

Otra figura olmeca que representa a un hombre barbado.

nia, donde un grupo de lingüistas las examinó. Fue allí donde se identificaron los idiomas mencionados en el párrafo anterior. Algunos de los ladrillos hasta tenían inscripciones que representaban elefantes. Además, muchos tenían inscripciones mayas mezcladas con otros idiomas, las que serían traducciones.

La opinión del Dr. Barry Fell, miembro de la Sociedad Epigráfica, es que los ladrillos formaban parte de una escuela de idiomas de Comalcalco en la que los alumnos, quienes estudiaban diversas lenguas, dibujaban sobre ladrillos frescos, y que luego se utilizaron esos mismos ladrillos para construir edificios. Fue un grupo de arqueólogos mexicanos el que descubrió los ladrillos con inscripciones, a los que consideraron simples materiales de construcción ya que estaban colocados de manera que las leyendas y los dibujos no eran visibles. Las marcas no se descubrieron sino hasta que se desmantelaron las estructuras durante las excavaciones arqueológicas dirigidas por el gobierno.

Steede señala un punto interesante cuando dice que existe un problema con la datación ya que los idiomas presentes en los ladrillos pertenecen a un periodo comprendido aproximadamente entre el año 0 y el 400 de nuestra era, mientras que generalmente se ubica a Comalcalco entre el 700 y el 900 d.C. El arqueólogo remarca la posibilidad de que estos ladrillos se hayan tomado de una estructura anterior y utilizado en la construcción de la estructura en estudio.

Además, sugiere que como hasta el momento solo se ha estudiado el 0,5 por ciento de los ladrillos, existe la posibilidad de que todavía haya más de un millón de ladrillos con inscripciones en Comalcalco aguardando que alguien los desentierre. Además, Steede tiene algo muy interesante que decir acerca de la correlación de fechas maya actualmente aceptada: «Las fechas parecen agruparse en torno al periodo maya Clásico aceptado (es decir, desde el 700 - 900 d.C.). Esto sería un fuerte indicio de que nuestra correlación con el calendario maya está equivocada en unos 300 ó 400 años. La correlación que se utiliza en la actualidad se la debemos básicamente a Thompson. La correlación Goodman, Martínez, Thompson (GMT) utilizó tres factores básicos como indicadores del comienzo del periodo Clásico.

Estos factores son el arco, la alfarería polícroma y las fechas obtenidas mediante carbono 14. La aparición de esos tres elementos se corrió unos trescientos años hacia atrás desde que se estableció la correlación actual, pero la correlación propiamente dicha no se ha modificado. En Comalcalco contamos con fuertes indicaciones para hacerlo. Tentativamente, parecería que la correlación Spinden, la que establece todas las fechas unos 260 años antes, tiene más sentido».

Steede también afirma que, hasta el momento, los lingüistas están de acuerdo en que los ladrillos de Comalcalco muestran una variedad de idiomas extranjeros, mientras que los arqueólogos se oponen a eso, tan solo porque lo que dicen los lingüistas «sencillamente no puede ser correcto». Esto, me atrevo a decir, no es un argumento muy científico que digamos para un arqueólogo.

Además, quisiera recordar al lector que las ruinas de Comalcalco y el descubrimiento de los ladrillos con inscripciones estuvieron en manos de un grupo muy respetado: el Instituto Nacional de Antropología e Historia de México. Sin embargo, el muy arraigado dogma de los aislacionistas modernos no es fácil de cambiar. Lo más probable es que los descubrimientos de Comalcalco sean suprimidos lo más posible por los académicos, y que sean muy pocos los estudiantes universitarios de arqueología que escuchen hablar siquiera sobre la controversia en torno de los ladrillos de ese sitio arqueológico.

## Los egipcios y el comercio a través del Pacífico

En su libro del año 1923, *The Children of the Sun*, el arqueólogo de la Universidad de Manchester W. J. Perry intentó demostrar la manera en que un sistema dual conformado por egipcios y nativos de la India se aventuró en el Pacífico y colonizó lugares como Tonga, Tahití, Hawái y la Isla de Pascua. Perry presenta evidencia de que enviados de los antiguos reinos del Sol de Egipto e India viajaron hasta Indonesia y atravesaron el Pacífico alrededor del año 1500 a.C., difundiendo así su sofisticada cultura. Perry sigue la expansión de la construcción megalítica hasta América desde sus orígenes en Egipto, a partir de donde llega a Indonesia y luego cruza el Pacífico. Estos antiguos marineros buscaban oro, obsidiana y perlas en sus increíbles exploraciones de isla en isla. Según Perry, se los conocía como los «hijos del Sol»

Es posible que la historia bíblica de la tierra de Ophir haga referencia al contacto transoceánico. Alrededor del año 1000 a.C., las naves fenicias del rey Salomón se embarcaron en un viaje de tres años a través del océano Índico hasta una tierra de oro llamada Ophir. A grandes rasgos, la teoría es la siguiente: para el año 4000 a.C. —y posiblemente, mucho antes— los egipcios ya estaban cruzando el océano Índico para llegar a lugares como Sumatra, Australia y Nueva Guinea. Extrajeron oro y comerciaron con los indonesios, exploraron Australia y explotaron sus vastos recursos lo mejor que pudieron, y luego atravesaron el Pacífico en una sociedad conjunta con los hindúes que colonizó y comerció en ese océano para, finalmente, hacer lo propio con las avanzadas culturas de América del Norte y del Sur.

Según las dataciones, la alfarería lapita que se encuentra en las islas Salomón, Nueva Caledonia, Vanuatu y hasta en Fiyi, Tonga y Samoa tiene apenas 4000 años de antigüedad. Aun así, la obvia red de intercambio, minería y comercio del año 2000 a.C. bien pudo haber estado relacionada con los comerciantes egipcios y sus extensos viajes a la distante tierra de Punt. Historiadores como Barry Fell, de Harvard, creen que la isla de Sumatra desempeñó un papel fundamental en los largos viajes marítimos de la antigüedad.

Fell afirmó que hubo viajes que comenzaron en el Mar Rojo y el Cuerno de África y llegaron hasta Sri Lanka, Sumatra, Nueva Guinea y se adentraron en el Pacífico. En estos viajes participaron personas de raza blanca y negra. Fell cree que estos viajeros, tras un viaje de un año hasta el Istmo de Tehuantepec (o hasta Perú) llegarían al Pacífico ya fuera al norte o al sur de Nueva Guinea y pasarían por islas como Nueva Inglaterra, Nueva Irlanda, las Salomón, Vanuatu hasta llegar a Fiyi, Tonga y Samoa. Estas dos últimas islas se convirtieron en los centros más importantes del Pacífico.

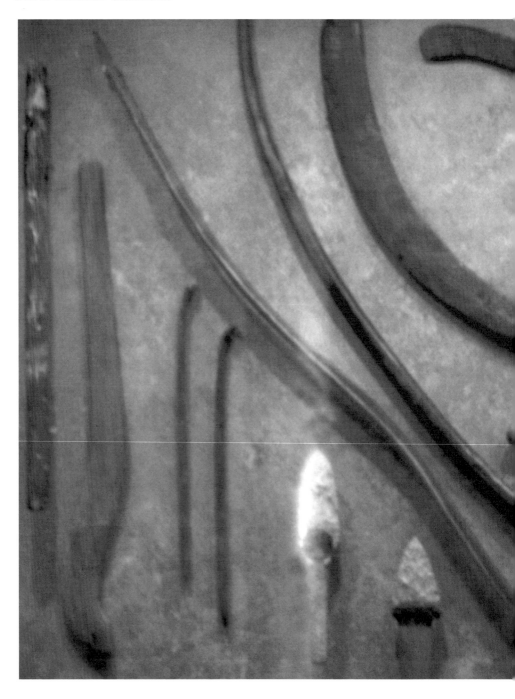

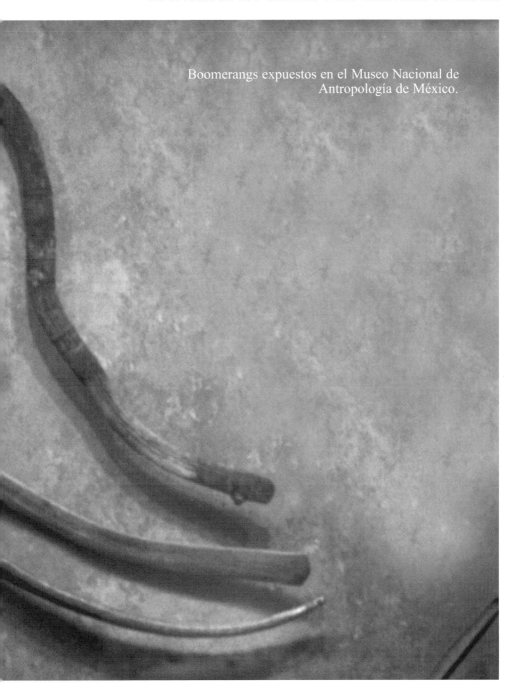

Boomerangs expuestos en el Museo Nacional de Antropología de México.

Pirámides y otras estructuras megalíticas como el arco de piedra Ha'amonga en Tonga. Trajeron alfarería lapita con ellos. Luego colonizaron Tahití y Hawái, y Rai'tea —cerca de Tahití— se convirtió en la capital oriental. Desde allí se colonizaron islas como las Marquesas, Rapa Iti y la Isla de Pascua. Además, conjetura Fell, viajaron a México, América Central, Ecuador y Perú desde esas islas base.

A lo largo del Pacífico se encuentran muchas islas cuyos nombres incluyen la partícula «Ra». Además, cada una de las estatuas de la Isla de Pascua, reinstaladas por Thor Heyerdahl en la playa Anakena tiene una gran cruz egipcia tallada en la espalda, en la base de la columna vertebral. Al parecer, este motivo también simbolizaría la energía *kundalini* de la espina dorsal.

Los egipcios construyeron sus embarcaciones sin utilizar clavos, y en la costa de Australia se han encontrado numerosos barcos antiguos, muchos de los cuales no tenían clavos. Cerca de Perth, en Australia Occidental, se encontraron dos navíos de doce metros de largo y tres de ancho con esas características. También se encontró otro parcialmente oculto por una duna de arena en Wollongong, Nueva Gales del Sur.

En una cueva en la región de Kimberley de Australia Occidental, en el valle del río Prince Regent, existe una pintura rupestre que muestra a un hombre barbado con un sombrero alto, con aspecto de egipcio o de natural de Medio Oriente. Alrededor de él hay tres mujeres con largos cabellos atados en la punta. A las mujeres se las identificó como bailarinas egipcias con pesos colgados de las puntas de los cabellos. Esas cabelleras largas y con pesos eran una compleja parte de su acto.

Además, los egipcios utilizaban bumeranes igual que los aborígenes australianos. Los egipcios frecuentemente cazaban patos en las ciénagas del Nilo con sus bumeranes y también los utilizaban en juegos. Es un hecho arqueológico —si bien no muy conocido— que en 1924 se descubrió un baúl lleno de bumeranes cuando el arqueólogo Howard Carter abrió la tumba del rey Tutankamón. Muchos de estos implementos incrustados con oro y lapislázuli están exhibidos en la muestra de Tutankamón del museo egipcio de El Cairo, junto a los cuales se muestra un bumerán australiano para que pueda compa-rárselos.

En el sur de México y en Texas, Arizona y California también se utilizaban bumeranes. Es posible que los olmecas también los hayan utilizado, y en el Museo de Antropología de Ciudad de México pueden verse en exhibición algunos ejemplares de esta arma. ¡Es una idea interesante pensar que los aborígenes australianos, al igual que las tribus del suroeste de América, aprendieron el uso de esta sencilla pero ingeniosa herramienta de los egipcios!

Los investigadores franceses Luis Pauwels y Jacques Bergier dicen en *El hombre eterno*: «En 1963 nos llegó un dato extraño y desconcertante desde Australia: en un terreno protegido por rocas se encontró una pila de monedas egipcias que había estado enterrada por alrededor de 4000 años. Los lectores que nos dieron esta infor-mación hacían referencia a informes poco conocidos, ya que no había mención de este hallazgo en ninguna publicación arqueológica. Sin embargo, en la conocida publicación soviética *Tekhnika Molodezi* —la que destina de manera regular una columna para hechos inexpli-cados sobre los que opinan expertos— se trató este asunto. Hasta publicó fotografías de las monedas halladas en la excavación».

En su libro *The First Sex* (G.P. Putnam's Sons, 1971), la antropó-loga Elizabeth Gould Davis afirma: «En Australia se encontró un amuleto colgante hecho de una piedra verde, tallado en la forma de una cruz celta; un duplicado exacto de un amuleto que se encontró en Egipto en Tel el-Amarna, el emplazamiento de la antigua ciudad en la que Nefertiti y el faraón Ajenatón reinaron hace 3500 años».

El periodo de Ajenatón y Nefertiti (alrededor del 1200 a.C.) coincide con el periodo de la alfarería lapita (circa 1100 a.C.) y con el de la dinastía Shang de China (1600-1028 a.C.). Este es también el periodo que a menudo se considera el inicio de los olmecas.

Un claro vínculo entre Australia y Egipto es que los isleños del Estrecho de Torres, entre Nueva Guinea y el extremo norte de Queensland, utilizan la curiosa práctica de la momificación de los muertos. El museo Macleay de la Universidad de Sídney cuenta con el cuerpo momificado de un isleño de Darnley (en el Estrecho de

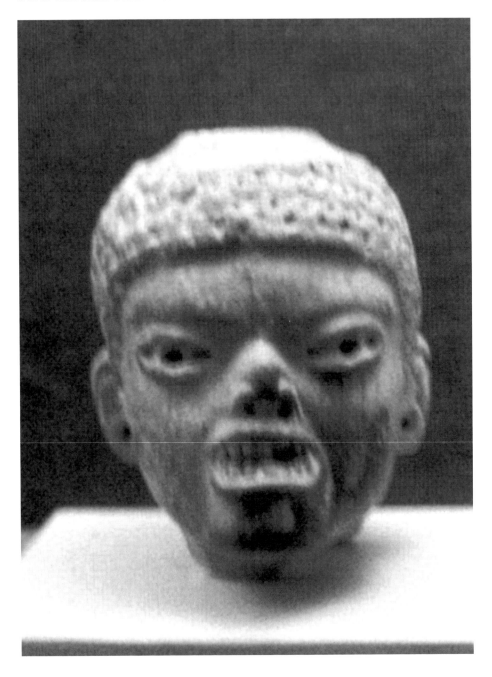

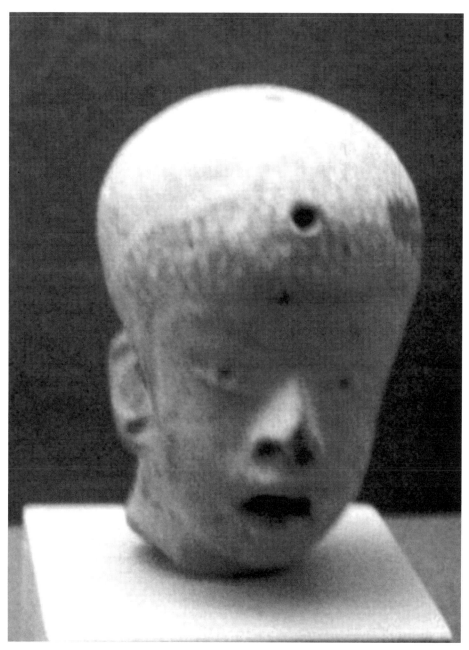

Cabezas de Comacalco mostrando diferentes características faciales.

Torres), el que se preparó de manera similar a como se hacía en Egipto entre el 1090 y el 945 a.C.

En 1875 la expedición Shevert encontró similitudes entre botes de la isla Darnley y antiguas embarcaciones para cruzar el Nilo. Los botes de la isla se utilizaban para llevar los cadáveres al mar y dejarlos en arrecifes de coral. La práctica egipcia consistía en trasladar los cadáveres por el Nilo —o cruzarlo con ellos— para enterrarlos en el desierto.

De manera similar, Kenneth Gordon McIntyre señaló en su libro *The Secret Discovery of Australia* (Picador, 1977), que el nombre de la isla de Mir en el Estrecho de Torres es similar al término egipcio para «pirámide», *mir*, e incluso al propio nombre de Egipto, *Misr*. Otra similitud con las islas del Estrecho de Torres y también con las Islas Salomón, Fiyi y Polinesia es que en estos lugares se utilizaba un reposacabezas de madera. Este reposacabezas tallado se utilizaba para elevar levemente la cabeza mientras el sujeto dormía sobre la espalda. Es inusual el uso de estos reposacabezas, relacionados con el antiguo Egipto y ciertas islas del Pacífico alrededor de Nueva Guinea.

## LOS EUNUCOS CHINOS Y LOS ANTIGUOS REYES DE LOS MARES

Imaginad por un momento un mundo en el que los océanos son las carreteras de los hombres antiguos. Imaginad los esfuerzos sostenidos de cientos de estos hombres por llegar a costas distantes para intercambiar artículos valiosos. Asumid que se cruzó el Atlántico en navíos más grandes que los que utilizó Colón. Imaginad que se atravesó el Pacífico en grandes embarcaciones —algunas de las cuales eran enormes estructuras de caña y otras, de madera— y que estos viajeros se detenían en Indonesia, Nueva Guinea, Fiyi, Tonga y Polinesia Oriental de camino a América Central y del Sur.

Estos hombres buscaban artículos de intercambio exóticos —incluidos el jade, oro, plumas raras, drogas alucinógenas, otras hierbas especiales y multitud de otras mercancías para exportar. Se cree que quienes hacían estos viajes eran un grupo mixto de antiguos marinos que zarpaban de puertos en España y Marruecos hacia Egipto, Etiopía, Omán, Kerala, Sri Lanka e islas indonesias como Sumatra, java y Bali.

Estos eran los antiguos reyes del mar, en ocasiones llamados la Liga Atlante, los hititas de Biblos, los fenicios o los khyber. Construyeron y pilotaron grandes barcos de carga con capacidad para cientos de pasajeros y tripulantes y toneladas de cargo. Las canoas de Tongariki que utilizaban los reyes de Tonga en el Pacífico Central podían llevar trescientas personas. Los capitanes de estas embarcaciones pertenecían a la realeza y conocían las estrellas y los principios de la navegación casi en la misma medida que los conocen los polinesios de nuestros días.

Los capitanes, a menudo de Omán o del Mar Rojo, estaban aliados con los marinos indios del sur del océano Índico. Esta región incluiría toda la India, las Maldivas, Sri Lanka e Indonesia. Al ir hacia el este por el Pacífico desde Indonesia se encuentran las montañosas y salvajes islas de Nueva Guinea y las Salomón. Luego, el Pacífico se abre y aparecen archipiélagos e islas como Fiyi y Tonga, Tahití y las Marquesas antes de arribar a la costa de América del Norte, alrededor de Baja California. Desde allí se dirigían hacia el sur, hasta puertos en el Pacífico cercanos a centros como Monte Albán, en Oaxaca.

Estos antiguos reyes de los mares eran un grupo mixto en el que había hombres blancos barbados y con bigotes, con características africanas y rasgos orientales, incluidos rasgos típicos chinos. También había entre ellos enanos y jorobados, quienes solían servir la función de músicos y narradores para divertir y entretener a la tripulación. En los barcos no había esclavos, si bien existía una jerarquía estricta. En los festivales que se celebraban en los diversos puertos en que se recibía a estos grandes comerciantes, todos tenían una cálida bienvenida. Para el marinero que había hecho algunos viajes, era una vida satisfactoria y rentable.

A bordo, además del capitán y sus hombres de confianza, había una especie de sacerdote, un chamán y mago. Este era quien entraba en contacto con los expertos en las plantas locales y conseguía las hierbas y alucinógenos correctos. Al parecer, este grupo de sacerdotes utilizaba sombreros en punta y se comportaba como podemos esperar que se comporte cualquier hechicero de tiempos remotos.

Recientemente se han publicado libros populares y merecedores de buenas críticas que respaldan los hechos históricos relacionados con los primeros viajes chinos que, literalmente, dieron la vuelta al mundo. En su éxito de ventas *1421: El año en que China descubrió el mundo*, el escritor Gavin Menzies sostiene que el 8 de marzo de ese año se lanzó a la mar una enorme flota de juncos de unos 150 metros de largo. La flota estaba al mando de almirantes eunucos leales al emperador Zhu Di y se aventuró hacia el final del mundo para recolectar el tributo de los bárbaros del otro lado de los mares y así unir al mundo en confuciana armonía. Según Menzies, el viaje de esta flota y sus almirantes eunucos habría tomado dos años y circunnavegado la Tierra.

En otro libro sobre las exploraciones precolombinas de China, escrito por Louise Levathes y titulado *When China Ruled the Seas*, se sostiene que los chinos de la dinastía Shang viajaban a América alrededor del año 1000 a.C. Si bien la autora no afirma específicamente que los olmecas formaban parte del contacto que los shang tenían con México, otros historiadores y arqueólogos sí lo hicieron, incluidos algunos relacionados con el prestigioso instituto Smithsonian.

En 1974 el instituto Smithsonian publicó una monografía de Betty J. Megger titulada «El origen transpacífico de la civilización mesoamericana». Megger es una arqueóloga de carrera y, al menos hasta 2007, seguía empleada por esa institución. En su monografía, Megger afirma:

> En general los antropólogos asumen que la civilización se desarrolló de manera independiente en los hemisferios oriental y occidental. Sin embargo, el análisis de las características que distinguen a la cultura olmeca de Mesoamérica de anteriores grupos aldeanos agrícolas demuestra que muchas de ellas están presentes en la civilización shang de China, anterior a esa. Si la civilización olmeca se originó a partir de un estímulo transpacífico, esto tiene importantes consecuencias tanto para la recons-

trucción del desarrollo cultural del Nuevo Mucdo como para la formulación de una teoría válida sobre el desarrollo de la civilización.

Además de la evolución cultural, no hubo ninguna otra teoría que provocara tal violenta disensión entre los antropólogos que el contacto a través del océano Pacífico. Los primeros difusionistas consideraban que estas dos cuestiones estaban relacionadas entre sí y afirmaban que las civilizaciones indígenas de América eran una consecuencia de incursiones de culturas de lugares del Viejo Mundo tales como Egipto, Fenicia, Israel, la Atlántida y Mu (Wauchope, 1962). En contraste con esto, teóricos recientes dan por sentado que la civilización surgió de igual manera en diferentes momentos (Cameiro 1970:733; Flannery 1972:400) o que al menos surgió de manera independiente en el Viejo y el Nuevo Mundo (Phillips 1966:314; Chard 1969:268; Daniel 1970). ... En este artículo se analizará el contexto y las características de la civilización más antigua de Mesoamérica, conocida como olmeca, y se la comparará con la civilización shang de China. El examen de la importancia de las numerosas y sorprendentes similitudes ilustrará algunos de los problemas teóricos que deben resolverse antes de que pueda sentarse una base confiable para una teoría sobre el origen de la civilización.

En su artículo para el Smithsonian, Megger aporta evidencia arqueológica de que la olmeca fue la primera civilización de Mesoamérica y estudia sus pirámides, monumentos, arte, calendarios, comercio y religión. Luego, analiza las diversas características de la civilización shang. Algunas de las similitudes entre estas dos sociedades, afirma, son sus estilos de escritura, su apreciación por el jade y su comercio del mismo en lugares distantes, el uso de bastones como símbolos de rango, los patrones y estilos arquitectónicos de sus asentamientos, su variada adquisición de objetos de lujo, la existencia de deidades felinas y el uso de la deformación craneal.

Si bien admite la dificultad de semejante tarea, Meggers concluye que las similitudes entre las culturas shang y olmeca pueden utilizarse tanto para demostrar el desarrollo independiente como la difusión cultural. La dificultad básica que enfrentamos, según señala, es que la búsqueda de orígenes culturales se ve afectada al mismo tiempo por prejuicios no reconocidos y por las limitaciones impuestas por la información.

De manera similar, uno de los estudiantes de Megger, Vincent H. Malmström, escribe en su monografía «Izapa: Cultural hearth of the Olmecs», publicada por la universidad de Dartmouth (disponible en línea —en inglés— en: www.dartmouth.edu/~izapa/M-6.pdf) que la antigua ciudad de Izapa, cerca de la costa del Pacífico en el Istmo de Tehuantepec, fue un importante puerto marítimo con contactos con Ecuador y, probablemente, con la China de la dinastía Shang.

Según Malmström:

> Ubicada cerca de donde termina la llanura costera del Pacífico en el extremo sudeste de Chiapas, México, se encuentra el gran centro ceremonial precolombino conocido como Izapa. Situado en la terraza de un pequeño afluente del río Suchiate —el río que separa México y Guatemala—, el emplazamiento consiste en más de 130 túmulos distribuidos en varias hectáreas de profusas tierras bajas tropicales en la base del volcán Tacaná, de 4094 metros, la segunda montaña más alta de América Central. Si bien hasta ahora no se han restaurado más de media docena de los túmulos y pirámides recubiertos de adoquines de Izapa, es claro que esas estructuras alguna vez formaron parte de un complejo elaborado y bien planificado de importancia y magnitud considerables. No fue sino hasta ahora que se empezó a conocer cuán importante pudo haber sido este emplazamiento.
>
> Los arqueólogos atribuyeron tentativamente a Izapa al periodo Formativo Tardío (que corresponde, de manera aproximada, a los años 600-100 a.C.), más que nada sobre la base de evidencia estilística (Bernal, 1969, 127). No obstante, hay buenas razones para creer que Izapa es mucho más antigua de lo que sugieren esas pruebas. De hecho, Bernal acepta que Izapa puede haber sido contemporánea de los emplazamientos olmecas más antiguos de que se tiene conocimiento, San Lorenzo y La Venta (Bernal, 1969, 173). Por ejemplo, se ha demostrado que en la región de Izapa posiblemente ya existía un estilo de vida organizado en asentamientos y aldeas en 1500 a.C., de acuerdo con la datación por radiocarbono de hallazgos de Ocós, en la costa de Guatemala, a solo 45 kilómetros de distancia (Bernal, 1969, 127). Recientemente se ha proporcionado más

evidencia —si bien se la considera circunstancial— como resultado del hecho de que el autor identificó a Izapa como el lugar de nacimiento tanto del sistema calendario Mesoamericano como del conocimiento del magnetismo entre las culturas precolombinas de la región

...Sin embargo, si las hipótesis del autor son correctas, entonces pueden establecerse dos puntos astronómicos fijos contra los que comparar la única fecha precisa legada a nosotros por los cronólogos mayas —y, puede suponerse, por los olmecas que los precedieron. Se trata de la fecha elegida como origen del sistema de cuenta larga, equivalente al 13 de agosto del año 3113 a.C. según la correlación Goodman, Martínez, Thompson. En otros medios (en la prensa), el autor explica la manera en la que determinó que el sistema de la cuenta larga —una fusión entre el almanaque religioso de 260 días y el calendario secular de 365— parecería haber sido desarrollado en el año 235 a.C., fecha sugerida originalmente en 1930 por Teeple y calculada de manera similar por Thompson (Thompson, 1960, 152). Alentado por este conocimiento que alcanzó por su cuenta, independientemente de la conclusión a la que había llegado un académico anterior al que Thompson reconoció por su talento matemático en otras conexiones (Thompson, 1960, 225), el autor utilizó un ordenador para retrotraer tanto el calendario secular como el sagrado a sus puntos de partida. Para el calendario secular, esto significó que el día conocido por los mayas como «0 Pop» debía coincidir con el solsticio de verano, mientras que para el almanaque sagrado el día llamado «1 Imix» debía coincidir con el 13 de agosto. Como resultado de esta operación, el autor demostró que el calendario secular probablemente surgió el 21 de junio de 1323 a.C., mientras que el origen del calendario sagrado se remonta al 13 de agosto de 1358 a.C.

De manera significativa, ambas fechas están perfectamente de acuerdo con las dataciones realizadas por radiocarbono en el área de Ocós al sur de Izapa y en la región de San Lorenzo en el estado de Veracruz, posiblemente uno de los primeros emplazamientos olmecas en los que se difundieron los «principios» del calendario. Aunque Izapa no hubiera servido otro propósito que el de ser el lugar de nacimiento de los calendarios mesoamericanos, sería razón suficiente para considerarla un importante centro cultural entre los olmecas. Sin embargo, Izapa parece haber

Imponente imagen del
centro arquitectónico de Comacalco.

Otra imagen de Comacalco. Conviene observar la pulcritud de la construcción.

estado a la vanguardia del aprendizaje olmeca en, al menos, otro campo de conocimiento: el del magnetismo terrestre.

Durante un tiempo, los investigadores creyeron que los mayas sabían sobre magnetismo y que lo habían utilizado para alinear las estructuras en sus principales centros ceremoniales (Fuson, 1969, 494). Luego, en 1973, Coe descubrió una pequeña barra de hematita pulida en San Lorenzo, la que creyó podía haberse utilizado como parte de una brújula. Dado que se la encontró en una capa de materiales fechada alrededor del año 1000 a.C., esto sugiere que los olmecas conocieron el magnetismo aproximadamente un milenio antes que los chinos (Carlson, 1975, 753). Sin embargo, durante ciertos trabajos de campo realizados en Izapa en enero de 1975, el autor descubrió evidencia de que los habitantes de ese emplazamiento no solo sabían sobre magnetismo, sino que también parecían haberlo relacionado con el instinto mediante el que se orientan las tortugas marinas. Esa conclusión parte del hecho de que, a unos treinta metros al sudeste de la pirámide principal, se encontró una gran escultura que representa la cabeza de una tortuga, realizada en un bloque de basalto rico en hierro magnético y ejecutada con tal precisión que todas las líneas de fuerza magnética se centran en la nariz de la tortuga. Si bien no se encontraron otras piedras magnéticas en Izapa, en ese asentamiento hay al menos otras dos representaciones de tortugas.

Una de estas es una escultura ubicada cerca de la pared oriental de la pirámide principal, la que tiene la forma de un caparazón de tortuga boca arriba y que, al llenarse de agua durante la época de lluvias, puede haber proporcionado una superficie libre de fricción en la que pudiera flotar una aguja o una astilla de magnetita. La otra es un gran altar con forma de tortuga en el extremo oeste del campo ceremonial de juego de pelota, en cuya pared septentrional hay una talla de un hombre barbado de pie en un bote que avanza entre las olas. El hecho de que los izapas fueron un pueblo de marinos que mantuvo contacto regular con lugares tan lejanos como Ecuador por un largo periodo de tiempo quedó demostrado por las similitudes en las cerámicas encontradas en ambos lugares (Coe, 1966, 45; Badner, 1972, 24).

Resulta prácticamente inconcebible que no hayan observado las grandes migraciones de tortugas loras del este del Pacífico entre Baja Cali-

fornia y Ecuador o las de la tortuga negra que migra entre la costa guate-
malteca y las islas Galápagos durante esos viajes (Carr, 1967, 136, 216).
Seguramente quedaron impresionados por lo preciso de la capacidad de
navegación de la tortuga, y la comparación de esa habilidad con la propiedad de indicar direcciones de la magnetita no debe haber requerido de gran
imaginación. Aún no puede demostrarse si las conexiones marítimas de
Izapa incluían contactos con pueblos del otro lado del Pacífico, si bien
Meggers, entre otros, presentó asombrosas pruebas de las similitudes entre
los olmecas y los chinos de la dinastía Shang (Meggers, 1975, 17). En
cualquier caso, parecería que Izapa funcionó como un importante centro
de innovación cultural en Mesoamérica, ya fuera como cabeza de puente
transpacífica o como centro por derecho propio.

Por lo tanto, es posible que Izapa haya sido un importante puerto
en el Pacífico para el contacto entre las culturas olmeca y shang. Como
tal, muchas de las rutas terrestres desde Oaxaca y otras zonas deben
haber convergido en Izapa o cerca de allí. En ese caso, los artículos del
lado atlántico del istmo habrían cruzado por tierra, y es muy posible
que se hayan embarcado en Izapa, en busca de puertos del otro lado del
Pacífico, toneladas de jade, oro, hongos alucinógenos, chocolate y
otros valiosos artículos de intercambio —muchos de los cuales, sin
lugar a dudas, llegaron a China. Más adelante, España llevaría adelante
este lucrativo comercio desde sus puertos en Manila y Acapulco.

En un artículo publicado el 4 de noviembre de 1996 en la revista
*US News World Report*, se informó que un académico dedicado al
estudio del idioma chino llamado Han Ping Chen había analizado las
famosas figuras y hachas de jade olmecas halladas junto a esas en La
Venta, las que se encuentran hoy en la Galería Nacional de Arte. De
acuerdo con esa publicación, tras examinar la «escritura» en las
hachas, el erudito declaró que «claramente, estos son caracteres
chinos».

De acuerdo con el artículo:

> Para los difusionistas, el arte ofrece un espacio tentador para la especula-
> ción. Las dataciones por carbono ubican la era olmeca entre el 1200 y el
> 1000 a.C., lo que coincide con la caída de la dinastía Shang en China.

Arqueólogos americanos desenterraron el grupo de esculturas en 1955. Al mirar esta escultura expuesta en la Galería Nacional, así como otras piezas olmecas, algunos académicos mexicanos y americanos quedaron sorprendidos por su parecido con ciertos artefactos chinos. De hecho, inicialmente los arqueólogos catalogaron las primeras figuras olmecas que se encontraron a principios de siglo como chinas. Las migraciones que llegaron desde Asia a través de un brazo de tierra hace unos 10.000 ó 15.000 años podrían explicar características chinas como los ojos rasgados, pero no las bocas estilizadas y las posturas típicas de un arte chino más sofisticado que surgió en épocas más recientes.

De todas maneras, hasta la llegada de Chen al museo, ningún especialista en la cultura shang había estudiado a los olmecas. El académico abandonó la exposición con una teoría. Después de la demoledora derrota del ejército shang y el asesinato del emperador, propuso, algunos defensores de la dinastía pudieron haber remontado el río Amarillo hasta llegar al océano. Allí es posible que se hayan dejado llevar por una corriente que bordea la costa de Japón, avanza hacia California y termina cerca de Ecuador. Betty Meggers, una experimentada arqueóloga del Smithsonian que vinculó alfarería ecuatoriana con alfarería japonesa de 5000 años de antigüedad encontrada entre los restos de un naufragio, dice que tal idea es «plausible» porque los antiguos marineros asiáticos eran mucho más competentes de lo que se cree.

Pero la identificación que Chen hace de las marcas de las hachas agudiza aún más la controversia sobre su origen. Por ejemplo, el mesoamericanista Michael Coe de la Universidad de Yale califica la búsqueda de caracteres chinos por parte de Chen como un insulto a los pueblos indígenas de México. En todo el mundo existe apenas una docena de expertos en escritura shang, la que es en gran medida irreconocible para quienes sí pueden leer chino moderno. Cuando Mike Xu, catedrático de Historia China en la Universidad de Oklahoma Central, viajó a Pekín para solicitarle a Chen que analizara su lista de 146 marcas encontradas en objetos precolombinos, Chen se negó a hacerlo alegando que no tenía ningún interés en objetos ajenos a China. Solo cedió después de que un colega familiarizado con el trabajo de Xu insistiera en que Chen, como autoridad china en la materia, echara un vistazo. Lo hizo, y así descubrió que todas

Como puede observarse, estas pequeños ceramios olmecas tienen una
apariencia muy similar a la de los chinos.

las marcas señaladas por Xu, excepto tres de ellas, podían haber venido de China.

Xu se encontraba junto a Chen en la Galería Nacional cuando el erudito en la cultura shang leyó el texto grabado en el hacha olmeca en chino y tradujo: «El soberano y sus caciques establecen los cimientos de un reino». Chen ubicó cada uno de los caracteres incluidos en el hacha en tres ajados diccionarios de chino que tenía consigo. Había dos caracteres adyacentes que usualmente significan «amo y súbditos», pero Chen determinó que, en este contexto, podían querer decir «soberano y sus caciques». Luego, reconoció el carácter de la línea inferior como el símbolo para «reino» o «país» —compuesto por dos picos que representan montañas y una línea curva debajo que simboliza un río. El siguiente carácter, según afirmó Chen, sugiere un ave pero significa «cascada», lo que completa la descripción. El último carácter, debajo de todo, se puede leer como «cimiento» o «establecimiento», lo que implica el acto de fundar algo importante. Si Chen está en lo cierto, las hachas no contienen únicamente la escritura más antigua del Nuevo Mundo, sino que también marcan la creación de un asentamiento chino hace más de 3000 años.

En esa publicación también se cita a Betty Megger, del Smithsonian: «Los sistemas de escritura son muy arbitrarios y complejos. No puede habérselos reinventado de manera independiente».

El artículo finaliza con la afirmación de que sobrevivieron más de 5000 caracteres shang pese a que los soldados que vencieron a las fuerzas de esa dinastía asesinaron a los eruditos y quemaron o enterraron todo objeto que llevase sobre sí escritura. En una excavación reciente en la capital shang de Anyang, los arqueólogos encontraron enterrada una biblioteca de caparazones de tortuga cubiertos de caracteres. A la entrada yacía el esqueleto del bibliotecario, apuñalado por la espalda y con algunas piezas escritas apretadas contra el pecho.

Dado que las figurillas y hachas olmecas se enterraron en un orden especial bajo arenas blancas cubiertas por capas alternadas de arena marrón y arena rojiza, Chen cree que es posible que se las haya

Se perciben claramente los rasgos chinos en esta figura olmeca que se encuentra expuesta en el Museo de Xalapa, México.

escondido para que estuvieran a salvo de una furia como aquella que intentó aniquilar a los shang y a su recuerdo.

Resulta curioso pensar que el colapso —o, tal vez, el ascenso— de la civilización olmeca pudo haber tenido algo que ver con la caída de la capital de la dinastía en China. Esto es algo que probablemente le sucedió a muchas colonias lejanas.

Entonces, ¿debemos pensar ahora que los bebés con el entrecejo fruncido y sin genitales eran eunucos chino-africanos? ¿Son infelices porque les quitaron los genitales o porque su patria, en China, fue destruida y ya no pueden regresar?

¿Tenemos ahora una explicación de por qué estas figuras de obvios rasgos negroides tienen también características orientales? ¿Los viajeros chinos trajeron a estas personas de África o Melanesia para convertirlos en una clase guerrera, en su ejército?

Criados desde su infancia, hijos de madres chinas, a estos guerreros se los castra cuando aún son pequeños y se los entrena especialmente en artes marciales, navegación y diplomacia. Son militares de gran estatura y bien armados. Son disciplinados, y con un pequeño grupo de estos hombres, este general chino-olmeca puede hacer que su ejército venza en las playas de cualquier isla remota o en la costa de cualquier país. Eran chinos eunucos especialmente entrenados y, como tales, eran reyes transoceánicos que inspiraban respeto a donde fueran. Se los adulaba y se erigían monumentos en su honor. Eran guerreros poderosos y gigantes entre el común de los hombres.

Pero eran eunucos, por lo que no podían disfrutar del sexo por placer. Sus placeres eran la comida y la bebida. Como dignatarios y señores, habrían recibido tratos dignos de la realeza, consumido grandes cantidades de alimento y posiblemente ingerido bebidas alucinógenas. De esta manera, es posible que estos eunucos chino-olmecas hayan pasado gran parte de su tiempo como hombres jaguar, comulgando con los espíritus locales y los animales tótem.

Mientras tanto, la tierra de Olman no habría sido un lugar aislado en la costa del Pacífico. Debido al angosto Istmo de Tehuantepec, a una corta distancia por tierra, es posible que también hayan tenido ciudades puerto en el Atlántico. El éxito trae éxito, y si los olmecas fueron capaces de desarrollar una red de intercambio en todo el istmo, también pudieron convertirse en la cultura dominante de la región.

# Capítulo 5
# La deformación craneal
# de los olmecas

Alargamos las cabezas de nuestros hijos porque es nuestra tradición, la que se origina en las creencias espirituales básicas de nuestro pueblo. También nos parece que quienes tienen cabezas alargadas son más guapos o bellos, y las cabezas largas también representan sabiduría.
Traducido de la versión inglesa de Kirk Huffman de un dicho de la región sur de Malakula para el Museo Australiano.

## LOS OLMECAS Y LA DEFORMACIÓN CRANEAL

Entre las numerosas cosas insólitas que se conocen sobre los olmecas, la deformación craneal es una de las más extravagantes. Se trata de una característica cultural compartida con Perú, las islas del Pacífico, ciertas tribus de África, los kurdos de Irak y los egipcios y con muchas otras culturas. Es una costumbre inusual que se extiende a lo largo de los océanos Atlántico y Pacífico.

Para el lego, los cráneos deformados son algo chocantes. Los hay de toda forma y tamaño: algunos están extremadamente alargados y otros, en lugar de terminar en punta, son más bien cuadrados. Quiénes eran exactamente estas personas, por qué alteraban la forma de sus cabezas y cómo lograban esas modificaciones sigue siendo en cierto modo un misterio. Los alargamientos son la alteración craneal más frecuente; tal vez deberíamos analizar entonces algunas de las diversas explicaciones al respecto de estas personas con cabezas de cono.

El término científico con el que se conoce esta característica es *dolicocefalia*, si bien la mayor parte de los escritos del ámbito antropológico utilizan el término *deformación craneal*. Los legos y la gente común gustan de llamarlos *cabezas de cono*. En los Estados Unidos, muchas personas están familiarizadas con una vieja rutina cómica del programa «Saturday Night Live» en la que Dan Akroyd y otros actores se ponían en la piel de la extraña familia Caracono (rutina que más adelante se convirtió en la película con el mismo nombre). Esta extravagante familia de graciosos bichos raros tenía cabezas calvas, aproximadamente dos veces más largas que las cabezas humanas normales, que terminaban en punta —de ahí el nombre Caracono.

Según saben los antropólogos desde hace tiempo, la deformación craneal es una práctica que puede llevarse a cabo durante la infancia. Por razones desconocidas, se envolvían las cabezas de los infantes con trozos de madera y cuerda o con alguna clase de lienzo apretado, elementos que tenían como efecto el desarrollo del cráneo en una forma alargada y anormal.

Cuando las placas del cráneo del bebé no están aún fusionadas entre sí, se envuelve la cabeza con materiales que se ajustan y aprietan con el correr del tiempo. A lo largo de varios años de realizar esta práctica, la cabeza del niño crece en forma alargada y para cuando el niño tiene ocho o nueve años (y a veces, antes) el cráneo adquirió una forma alargada permanente que ya no requiere de ligaduras.

Se sabe que en muchos casos los olmecas y los mayas de América Central tenían cráneos dolicocéfalos. Si bien en regiones tropicales es difícil encontrar material óseo debido a su rápida descomposición, en Costa Rica se encontraron figuras de jade que se atribuyen a los olmecas que muestran personas con cabezas alargadas, lo que nos indica que esta extraña moda llegó desde los Andes hasta las costas y montañas de México, pasando por las junglas de Panamá, Costa Rica y Nicaragua. Incluso llegó hasta la costa noroeste del Pacífico de los Estados Unidos.

Por ejemplo, el lago de agua dulce más grande al oeste del Mississippi se llama Flathead (en español, «cabeza plana»), y está ubicado en el oeste de Montana. El lago recibió ese nombre porque los aborígenes de la zona eran los indios flathead, a quienes se llamaba así porque tenían las extrañas cabezas largas y aplastadas que hoy denominamos *deformación craneal*.

De manera similar, en la época en que los primeros exploradores europeos llegaron a Seattle, al noroeste del Pacífico, descubrieron que las tribus locales —los chinook— también tenían los cráneos largos y planos. Los exploradores rusos, españoles e ingleses que llegaron en tiempos remotos a la zona documentaron esas extrañas costumbres, y existen antiguos dibujos de una mujer con un cráneo dolicocéfalo que sostiene en su regazo a un niño en una cuna de deformación. El niño seguramente tuvo una cabeza alargada como la de su madre gracias a la técnica con la que se le envolvió la cabeza. Curiosamente, en el dibujo ella parece tener pies por demás pequeños —es posible que por haber sido vendados en su niñez—, y tatuajes que parecen escrituras en la piel.

También sabemos que miembros de la antigua realeza egipcia como Ajenatón, Tutankamón y Meritatón —y otros egipcios— tenían cráneos dolicocéfalos. Nefertiti, integrante de la nobleza egipcia aunque nacida en Mitani, una zona al norte de Irak que se considera estaba relacionada con los hititas y la antigua India, también tenía la cabeza con esta forma. Si bien nunca se encontraron los restos de Ajenatón, Nefertiti y sus hijos, sí tenemos pinturas que representan a la familia en las que se los muestra con cráneos alargados. La momia de Tutankamón sí se encontró y presenta un cráneo dolicocéfalo.

Entonces, he aquí una extraña conexión entre el periodo atonista de Egipto (alrededor del 1200 a.C.) y los olmecas por medio de la práctica extraña e inusual de la deformación craneal mediante el vendaje de la cabeza. El hecho de que estas prácticas se llevaran a cabo en Malta. Egipto, Irak, las islas del Pacífico y América da origen a una pregunta: ¿todas estas culturas desarrollaron esa inusual costumbre de manera independiente? De ser así, ¿por qué lo harían? La corriente arqueológica dominante, con su postura aislacionista, no puede hacer otra cosa que sostener que la costumbre de la deformación craneal surgió por sí sola en la mayoría de las regiones.

Debido a su extendida presencia en el mundo y a lo extraño de esta práctica, la deformación craneal parece evidencia de contacto transoceánico. Esta costumbre no era popular únicamente en América del Sur, sino que estaba presente en todos los rincones del mundo. La popularidad de esta práctica cultural extravagante parece haber surgido a raíz de la difusión cultural, y no en culturas aisladas sin contacto con otras.

En lo que respecta a los olmecas, el hecho conocido de que practicaban la deformación craneal los convertiría automáticamente en los creadores de la costumbre —al menos en Mesoamérica. Pero eso no concuerda con lo que las autoridades más conservadoras nos dicen sobre este pueblo. Como mencionamos en el Capítulo 1, el arqueólogo Richard Diehl de la Universidad de Alabama afirma que los olmecas eran un grupo aislado dentro de su región que tenía poco contacto con las otras tribus del Istmo de Tehuantepec:

> No hay pruebas de que conformaran un grupo étnico unificado, y casi con seguridad podemos afirmar que los olmecas no reconocían como miembros de su grupo a quienes vivieran a unas horas de distancia a pie. De todas maneras, las innumerables culturas locales independientes eran tan parecidas entre sí que los científicos modernos las consideran una sola cultura genérica.

El libro de Diehl solo menciona un ejemplo de deformación craneal hallado en un sepulcro olmeca en Tlatilco:

> ...En otra sepultura se hallaron los restos de un hombre cuyo cráneo había sido modificado deliberadamente en la infancia y con los dientes recortados con diseños geométricos en la adultez. Podría tratarse de un chamán ya que los objetos ubicados a su lado parecían elementos relacionados con el uso de sus poderes. Entre ellos había pequeños metates para triturar hongos alucinógenos, efigies de arcilla con forma de hongos, cuarzo, grafito, resina, y otros artículos exóticos que podrían haber sido utilizados en rituales de curación.

Tal vez la falta de análisis de la deformación craneal sea directamente una forma de evitar tratar el tema. Si bien no se sabe mucho sobre esta práctica más allá de cómo se la llevaba a cabo, es una parte curiosa de las culturas olmeca y maya —una de las costumbres por las que se los conoce, al igual que sucede con los antiguos peruanos de la costa del desierto, sobre todo en las proximidades de Paracas, Iza y Nazca, al sur de Lima. Dado que se afirma que los olmecas eran un grupo aislado, mencionar en un libro que promueve el punto de vista aislacionista la deformación craneal y su uso difundido sería en cierto modo contraproducente.

## ¿POR QUÉ RAZÓN SE PRACTICABA LA DEFORMACIÓN CRANEAL?

La gran pregunta, entonces, es: ¿por qué estas civilizaciones antiguas llevaron a cabo esta deformación artificial del cráneo hasta el momento de la conquista europea —al menos, en el caso del noroeste del Pacífico?

Hay diversas respuestas, pero ninguna de ellas respalda la perspectiva aislacionista de que la olmeca y otras culturas no tuvieron contactos transoceánicos. Las diversas teorías incluyen ideas como, por ejemplo, que los olmecas creían que las personas con cabezas grandes eran más inteligentes, que era una manera de imitar a sus supuestos visitantes con cráneos alargados, que la costumbre formaba parte de alguna extraña práctica religiosa, que se la utilizaba para distinguir a las elites religiosas y reales. Incluso hay teorías que combinan algunas o todas las anteriores.

La tecnología utilizada para deformar el cráneo era relativamente sencilla; era algo que podía hacer cualquier familia que tuviera un niño recién nacido con un par de trozos de madera y algo de cuerda. Eso y un poco de tiempo y paciencia. Entonces, una vez más debemos preguntarnos: ¿por qué se estilaba esto? Por otra parte, de acuerdo con las creencias aislacionistas que reinan en la corriente arqueológica dominante, culturas separadas por grandes distancias

Figura olmeca (Las Bocas, México) que muestra el cráneo alargado.
Actualmente se encuentra en el Museo de los Indios de América de Nueva York.

desarrollaron esta extraña moda de manera independiente.
así o se trata de una moda que se extendió?

Un punto central en cualquier teoría unificada sobre la deior.
ción craneal es la fascinante idea de que se trató de una costumbre
mundial que se expandió hasta rincones remotos de la Tierra. La
tierra de Olman en el Istmo de Tehuantepec habría sido un área
central de esa difusión antes que una zona aislada. ¿Existió un momento alrededor del 1000 a.C. en el que todos los sacerdotes del
mundo tuvieron el cráneo alargado? Como veremos más adelante,
parecería que fue así —lo que no puede ser una coincidencia.
Aparentemente, miles de años atrás la deformación craneal era una
costumbre mundial que llegó hasta la modernidad, y al parecer los
olmecas estaban entre sus practicantes.

¿Querrían parecerse a una raza de seres cuyos cráneos eran naturalmente alargados? En mi opinión, la mejor hipótesis es que esta
costumbre de envolver la cabeza que se encontró en todas partes del
mundo se hacía para emular a una raza antigua de personas con cabezas largas (ya fueran estas naturales u obtenidas de manera artificial)
que llevó sabiduría y conocimiento a nuestros ancestros. Podemos
ver esto en las razas que aún llevan a cabo esta práctica, como sucede
en Vanuatu, donde se dice que la costumbre se originó en las visitas
de una raza extranjera sumamente inteligente digna de emulación.

## LA PRÁCTICA DE VENDAR LA CABEZA EN ÁFRICA Y VANUATU

En algunas partes de África, Vanuatu y entre los kurdos del norte
de Irak, las prácticas de vendar la cabeza y deformar el cráneo llegaron hasta tiempos modernos. En lugares remotos de la República de
Vanuatu (antiguamente, Nuevas Hébridas), la costumbre de vendar la
cabeza llegó hasta alrededor de la Segunda Guerra Mundial. Según
dice la página electrónica del Museo Australiano sobre la deformación craneal en Vanuatu: «En ciertas zonas costeras del sur de Malakula, Vanuatu, se asocia al héroe cultural Ambat con el origen de la

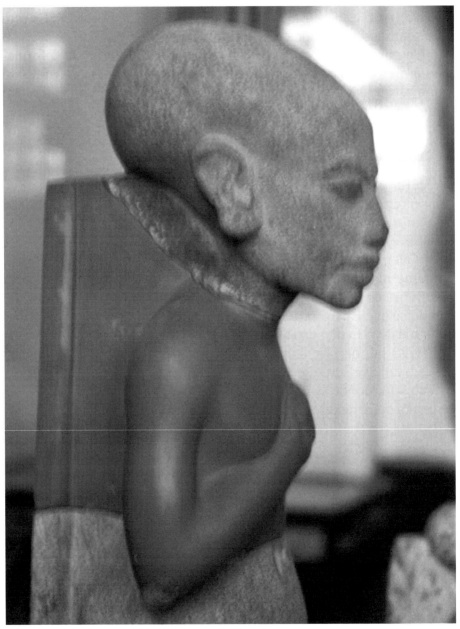

Figura de Tutankamón hallada en su tumba.
Cabe notar la elongación de su cabeza.

costumbre de vendar la cabeza. El propio Ambat tenía la cabeza alargada y una nariz larga y fina. Hay leves variaciones en los estilos de alargamiento craneal en las diferentes zonas culturales y lingüísticas del sur de Malakula. La región en la que las personas tienen las cabezas más alargadas es la zona de la isla de Tomman en la que se habla nahai y la zona sudsudoeste de Malakula, frente a esa. Se cree que una persona con una cabeza delicadamente alargada es más inteligente o que tiene un estatus más elevado y está en mayor contacto con el mundo de los espíritus. Aún hoy, en toda Vanuatu se considera que el término de la lengua franca bislama *Longfala Hed* («cabeza larga») es sinónimo de *inteligente*».

De acuerdo con el museo, en esas regiones la cabeza se vendaba aproximadamente al mes de vida. Todos los días se untaba la cabeza del niño con una pasta de nuez navanai-molo quemada. Mediante ese proceso se ablandaba la piel y se prevenía el sarpullido por vendaje. Luego se envolvía la cabeza del niño con una venda flexible hecha con la parte interna de la corteza del plátano. Sobre esto se colocaba una canasta especial tejida de nibirip, y esto se ceñía con una cuerda de fibra. Para producir la forma esperada, había que repetir este proceso todos los días por aproximadamente seis meses.

La razón por la que los miembros de la tribu practicaban la deformación craneal era que creían que la gente con cabeza larga era más inteligente —al parecer, debido a esos antiguos héroes con cabezas cónicas que tanto admiraban. El museo cita a un nativo de Vanuatu: «Alargamos la cabeza de nuestros hijos porque es nuestra tradición, la que se origina en las creencias espirituales básicas de nuestro pueblo. También nos parece que quienes tienen cabezas alargadas son más guapos o bellos, y las cabezas largas también representan sabiduría» (Cita no identificada del sur de Malakula, de acuerdo con la traducción del bislama realizada por Kirk Huffman para el Museo Australiano).

El museo también afirma que entre el pueblo bintulu malanus dayak de Borneo tener una frente plana se consideraba un signo de belleza. El proceso para aplanar la cabeza se iniciaba durante el primer mes de vida del bebé con un implemento llamado *tadal*. En la

Dos vistas del busto de la hija de Akenatón y Nefertiti.

frente del niño se colocaba un cojín asegurado con bandas que envolvían la cabeza tanto hacia arriba como hacia atrás. Las cuerdas que sostenían las bandas en su lugar se ajustaban sin molestar al bebé. En las primeras etapas se aplicaba poca presión, la que se incrementaba después de forma gradual.

El sitio menciona además que el pueblo mangbetu del noreste de la República Democrática del Congo también llevaba a cabo la práctica del alargamiento craneal: envolvían las cabezas de los infantes con un lienzo para crear la forma deseada. Cuando la persona era adulta, el efecto se acentuaba por medio de envolver el cabello alrededor de una cesta tejida de manera que la cabeza pareciera aún más larga.

Curiosamente, la página también afirma que en algunas partes de Europa, especialmente Francia, el alargamiento craneal se practicó hasta finales del siglo XIX. En la zona de Deux-Sevres, el alargamiento craneal implicaba envolver la cabeza del niño de pecho con un vendaje muy ajustado. Esta venda se dejaba por un periodo de entre dos y cuatro meses y luego se la reemplazaba con una cesta a medida. Cuando el niño era más grande, la cesta se reforzaba con alambre.

De hecho, parece que uno de los objetivos que se perseguía al vendar la cabeza era alargar el cráneo lo más posible: de esta manera la persona era más alta, tenía una mayor capacidad cerebral y, ni hace falta decirlo, un aspecto muy especial que distinguía al cabeza de cono de la gente con cráneos normales. Podríamos preguntarnos si se consideraba a la persona con el cráneo más largo el sacerdote, rey —o lo que fuera— más importante. Cuanto más analizamos la deformación craneal, más misteriosa se vuelve, y no se encuentra ninguna respuesta sencilla sobre este fenómeno. Esta puede ser una buena razón por la que la mayoría de los arqueólogos se desvían del tema lo más posible, ya que rápidamente lleva a cientos de preguntas que es mejor no responder si se pretende mantener la teoría aislacionista sin un respaldo. ¿Cómo y por qué surgió una práctica semejante?, ¿por qué razón crearon esta práctica culturas independientes —es decir, culturas que se cree no tenían contacto entre sí?, ¿en cada una de estas sociedades las personas con el cráneo alargado formaban parte de una clase real especial?, ¿la cirugía cerebral antigua, la trepanación y la práctica médica moderna deben su origen a la deformación craneal?

## LA DEFORMACIÓN CRANEAL DE LOS OLMECAS Y LA HENDIDURA EN V

En los libros que se han escrito sobre los olmecas no se dice al respecto mucho más que la deformación craneal existe. Muchos autores sencillamente ignoran por completo el asunto pese a incluir en sus libros muchas figuras olmecas con obvias deformaciones craneales, mientras que otros mencionan el tema de forma breve.

Ignacio Bernal dedica dos páginas a este tema en su conocido libro de 1968 *El mundo olmeca*. Esto es lo que tiene para decir al analizar las figuras de jade encontradas en La Venta:

Las deformaciones practicadas por los olmecas en sus propios cuerpos (ya fueran reales o simplemente simbólicas) pueden verse de manera más clara en las figuras que en los monumentos de piedra.

Para deformar la cabeza se ataba una tabla pequeña en posición oblicua a la frente del recién nacido hasta que la presión le daba al cráneo, aún maleable, la forma deseada. También practicaban la deformación circular, y se ha sugerido que los cascos que portan las cabezas colosales y otras estatuillas representan los moldes utilizados para producir tal deformación. Una de las características más distintivas es una hendidura en forma de V en la parte superior de la cabeza, la que en ocasiones se convierte simplemente en un agujero. Dado que esta aparece también en figuras de jaguares, se cree que puede hacer referencia a la profunda concavidad que tiene la parte superior del cráneo de ese animal. En el pasado se creía que en las figuras humanas esa hendidura representaba la deformación craneal conocida como bilobular, que se asumía muchos grupos practicaban, pero se ha demostrado que ese tipo de deformación es anatómicamente imposible y que no podrían haberla practicado ni los olmecas ni otras culturas.

Figura de jade de La Venta. Al parecer muestra a un individuo
con *piercing* facial, en el cuerpo y además varios tatuajes.

La hendidura, que posiblemente representa alguna característica real, se transformó en un elemento estilístico que perdió su significado aun para sus creadores, si bien se la siguió representando por largo tiempo en hachas y figuras. Algunas figuras de Teotihuacan II tienen esta característica. Por otra parte, la misma está ausente en Monte Albán, pese a que pueden verse allí muchos vestigios olmecas, sobre todo jaguares. Por lo tanto, creo que la hendidura nació para representar los arcos superciliares del jaguar y que esa asociación se había perdido para la época de las representaciones de ese animal en Monte Albán, donde —de tratarse del mismo animal que el olmeca— no presentan la hendidura en forma de V. En ocasiones este corte se representa como un surco que cruza la cabeza, como sucede en la pequeña escultura que se encontró en El Tejar —sitio fuera de metrópolis olmeca. En otras figuras las cabezas son calvas o solo tienen una franja de cabello en el centro.

El interesante comentario de Bernal según el que la hendidura en V es una imitación del cráneo del jaguar podría proporcionar una respuesta alternativa para la práctica, extendida en todo el mundo, de la deformación craneal —pero parece que Bernal no sabe que esa costumbre estaba tan difundida.

En una nota al pie, Bernal afirma que Michael Coe le escribió en una carta personal: «Esta hendidura me tuvo confundido por mucho tiempo. Ahora he de coincidir contigo en que se trata de un rasgo natural del jaguar, ya que en una visita reciente a los parques zoológicos de Regent's Park y Washington noté que los jaguares macho adultos tienen un surco pronunciado en la parte superior de la cabeza, donde el cuero cabelludo —en gran medida suelto— está prácticamente plegado».

La idea de que la deformación craneal y la hendidura en V son una clase de desfiguración destinada a hacer que alguien se parezca más a un jaguar tiene algo de sentido, al menos para los olmecas. Se sabe que rendían culto al hombre jaguar, utilizaban máscaras con el rostro de este animal y también lo veían como un símbolo de poder.

Así mismo, la idea de que algunos olmecas tenían una profunda hendidura en V en la frente es bastante fantástica —y Bernal no tarda en desechar esa cuestión. Pero parece que encontró algo interesante. Parecería que esta hendidura estaba relacionada con el vendaje de la cabeza y la deformación craneal tan populares entre los olmecas.

¿Es posible que los ceñudos padres de estos bebés marcaran una profunda depresión en la cabeza de los niños y luego la ciñeran? De ser así, ¿es posible que de esta forma se comprimiera una zona del cerebro que los convertía en personas violentas y hostiles? Bernal llega a mencionar el tema, pero luego lo abandona. ¿Existían subculturas entre los olmecas que intentaban lucir como jaguares, con dientes limados, cicatrices especiales en el rostro y tatuajes, aretes en la nariz y las orejas para embellecer su cuerpo y añadirle características de ese animal?

Debido al suelo ácido en los emplazamientos olmecas de la zona de la Costa del Golfo, en pocos sepulcros olmecas se preservaron los cráneos y otros huesos. Por esta razón, la mayoría de los registros olmecas de deformación craneal nos llegaron en la forma de estatuas y figuras. Estas muestran que muchos de los olmecas exhibían algún tipo de deformación craneal —entre las que se encuentra la hendidura en forma de V en la parte superior de la cabeza. ¿Representaban personas reales estas figuras? Bernal, al igual que la mayoría de los arqueólogos, cree que no.

En los museos que se encuentran a lo largo de las costas de los desiertos de Perú y Chile pueden verse numerosos cráneos extraños y muy alargados que se han preservado muy bien, pero ninguno de estos luce una hendidura en V. Es posible que las figuras con esta hendidura representen la otra clase de deformación craneal, en la que la cabeza del niño se venda de tal manera que se ensancha y aplasta, lo que tiene como resultado una pequeña V en la parte superior.

Cuando se analizan la deformación craneal y los hombres jaguar es lógico preguntarse si el intercambio de hongos alucinógenos habrá tenido algo que ver con estas costumbres. En relación con los muy conocidos ritos de la cultura olmeca con esta clase de hongos, surge la pregunta: los sacerdotes olmecas, quienes supuestamente tenían los cráneos deformados, ¿ingerían hongos mágicos y se convertían por así decirlo en hombres jaguar en ese estado alterado de conciencia? Parecería que en gran parte de la tierra de Olman tenían lugar situaciones rituales parecidas.

## Tú y yo y un caracono llamado Xax-Xoo

El extraño mundo de la deformación craneal se vuelve más extravagante cuanto más nos adentramos en la investigación del tema. Recientemente se me hizo notar que las famosas estatuas moai de la Isla de Pascua también tienen cabezas de cono: la mayoría de las estatuas representa de forma clara a personas con cráneos alargados, como sucede en el caso de los olmecas y los antiguos peruanos.

En su libro de 1969 *More «Things»* (en español, «más cosas»), el zoólogo y escritor Ivan T. Sanderson menciona una carta que recibió sobre un ingeniero que estuvo designado en la isla aleutiana de Shemya durante la Segunda Guerra Mundial. Mientras construía una pista de aterrizaje improvisada, su cuadrilla excavó un grupo de colinas y descubrió allí, debajo de varias capas de sedimento, lo que al parecer era un cementerio de supuestos restos humanos que consistían en cráneos y largos huesos de piernas. Los cráneos medían entre 56 y 61 cm desde la base hasta la coronilla. Un tamaño tan grande de cráneo es inmenso para un ser humano con proporciones normales. Además, según se afirma, ¡todos los cráneos habían pasado por una prolija trepanación!

Sanderson intentó conseguir más evidencia, y recibió una carta de otro miembro de la unidad quien confirmó el relato. Ambas cartas indicaban que el Smithsonian había recolectado los restos; sin embargo, no se supo nada más al respecto. El zoólogo parece convencido de que no se trató de un camelo, pero se pregunta por qué el Smithsonian no entregaría información al respecto. En sus propias palabras: «... ¿es que esta gente no puede soportar tener que volver a escribir todos los libros de texto?».

En diversas partes de América del Norte se han encontrado otros cráneos poco comunes, a menudo alargados y en ocasiones con dos filas de dientes. En 1833, soldados que estaban cavando un pozo para

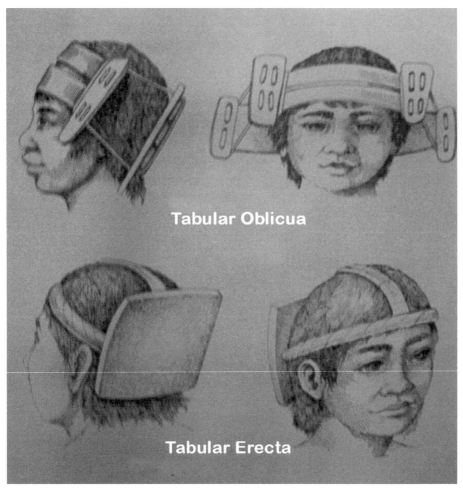

Método que demuestra la manera en que se hacían las deformaciones craneales segú n el Museo de Cuicuilco.

destinarlo a un polvorín en Lompock Rancho, California, atravesaron una capa de grava maciza y se encontraron con el esqueleto de un hombre de unos tres metros y medio de alto. Los restos estaban rodeados por conchas talladas, enormes hachas de piedra y bloques de pórfido cubiertos de símbolos ininteligibles. El gigante se destacaba además por otra característica: tenía una doble hilera de dientes —tanto superiores como inferiores. Cuando los aborígenes locales comenzaron a adjudicarle un significado religioso al esqueleto y sus artefactos, las autoridades ordenaron que se lo escondiera en un lugar secreto y así quedó perdido para la ciencia.

Entre 1880 y 1889 se publicó en *Minnesota Geological Survey* y en los periódicos *Pioneer* y *Globe* de St. Paul una serie de extraños descubrimientos en túmulos ubicados en Minnesota: en Chatfield se hallaron seis esqueletos de enorme tamaño y en Clearwater se encontraron siete esqueletos gigantescos ocultos en túmulos. Según la información difundida, se los había enterrado cabeza abajo, y los cráneos presentaban doble dentición completa y la frente empujada hacia atrás. Estas frentes suenan parecidas a las cabezas planas y las cabezas de cono.

## Los sacerdotes serpiente de Malta

En un fascinante artículo publicado en la revista *Hera* en Roma, Italia, por Adriano Forgione, se menciona que en un antiquísimo templo subterráneo de la isla mediterránea de Malta se descubrieron varios cráneos dolicocéfalos. De acuerdo con Forgione: «Según se sabe, hasta 1985 hubo algunos cráneos, encontrados en templos malteses prehistóricos en Taxien, Ggantja y Hal Saflieni, expuestos en el Museo Arqueológico de Valletta. Hace algunos años, los quitaron de la vista y los colocaron en los depósitos. Desde entonces, ya no pudo acceder a ellos el público. Solo las fotografías tomadas por el investigador maltés Dr. Anton Mifsud y su colega, el Dr. Charles Savona Ventura, quedaron como testimonio de la existencia de esos cráneos y prueba de su anormalidad. En los libros escritos por estos dos doctores malteses, quienes desde nuestro primer día en Malta nos proporcionaron diligentemente los documentos necesarios para nuestra investigación, se ilustra una colección de cráneos con anormalidades o patologías peculiares. En algunos casos, las líneas de sutura craneales brillaban por su ausencia; en otros, se encontraron partes del temporal con desarrollo anormal, occipucios perforados e inflamados como se encontrarían tras recuperarse de un traumatismo y, lo más importante, un cráneo inusual y alargado, más grande y peculiar que todos los demás, sin signos de sutura sagital. La presencia de este hallazgo lleva a un número de hipótesis posibles: La similitud con otros cráneos similares encontrados desde Egipto hasta Sudamérica y la deformidad particular, única en el escenario de patologías médicas conocidas para épocas tan remotas (estamos hablando de alrededor de 3000 años antes de Cristo) podrían convertirlo en un descubrimiento extraordinario. ¿Será ese cráneo el resultado de una antigua mutación genética entre diferentes razas que vivieron en esa isla?

Forgione afirma que las islas de Malta y Gozo fueron centros muy importantes desde tiempos prehistóricos, centros en los que se realizaban «curas médicas», donde se consultaban oráculos y tenían lugar encuentros rituales con los sacerdotes de la diosa. Allí existían muchos santuarios y centros milagrosos donde los sacerdotes se reunían en torno de la diosa sanadora. Ese autor sostiene que es un dato muy conocido que, en la antigüedad, se asociaba a la serpiente con la diosa y con las capacidades sanadoras. La serpiente también pertenece al mundo subterráneo. Por lo tanto, no hay lugar más adecuado para el grupo de sacerdotes presente en todas las culturas más antiguas y conocido como los «sacerdotes serpiente» que un hipogeo dedicado a la diosa y al culto al agua.

Según Forgione, «Tal vez los cráneos que se hallaron en la bóveda subterránea y examinamos durante nuestra visita a Malta pertenecieron a esos sacerdotes. Como ya se mencionó, presentan una acentuada dolicocefalia, lo que constituye el centro de nuestro análisis. La cabeza y rasgos alargados deben haberles dado un aspecto de serpiente al estirar los ojos y la piel. Dado que falta la parte inferior del esqueleto, solo podemos hacer especulaciones, pero

El famoso Tío Sam, monumento de La venta, México. Como puede verse, usa una falsa barba, como los egipcios utilizaban algunas veces. Asimismo, lleva una bola de oro en su nariz.

la hipótesis no puede estar muy lejos de la realidad —una realidad empeorada por el hecho de que tales deformaciones seguramente deben haber generado dificultades para caminar, ¡obligando así a la persona a arrastrarse! La falta de la sutura sagital en el cráneo y, en consecuencia, la imposibilidad del cerebro de expandirse de forma radial en la bóveda craneal hizo que se desarrollara la zona occipital del cerebelo. Esto deformó el cráneo, el que luce como una sola pieza en las áreas frontal y occipital. Esto definitivamente debe haber causado al hombre una terrible agonía desde la infancia, si bien es probable que aguzara sus visiones —las que se consideraban evidencia de una conexión con la diosa."

## ¿Cráneos de otra raza?

Los cráneos alargados de Malta podrían pertenecer a otra raza y no ser de Homo sapiens. Forgione afirma: «Los otros cráneos que analizamos también presentaban anomalías extrañas. Algunos eran más naturales y armoniosos que el cráneo que casi se roba toda nuestra atención, pero de todas formas presentaban una dolicocefalia natural pronunciada y sobre esa base pudimos asumir, sin temor a estar equivocados, que es un rasgo distintivo de una raza propiamente dicha, diferente a la de las poblaciones aborígenes de Malta y Gozo».

Los arqueólogos malteses Anthony Buonanno y Mark Anthony Mifsud confirmaron esta posibilidad y dijeron a Forgione: «Pertenecen a otra raza, si bien no se han realizado aún pruebas de carbono 14 o de ADN. Tal vez estos individuos hayan provenido de Sicilia».

Forgione continúa: «Una buena parte de los 7000 esqueletos extraídos del hipogeo de Hal Saflieni y estudiados por Themistocles Zammit en 1921 presentaban deformaciones artificiales. Uno de los esqueletos del grupo, desenterrado por el arqueólogo Brochtorff Circle, muestra claros signos de deformación intencional mediante vendaje. Estas deformaciones se llevaban a cabo por diferentes razones: iniciaciones, bodas, ritos relacionados con el sol o castigos por delitos o transgresiones sociales. Todo el conjunto tribal de incisiones, perforaciones, extracciones totales o parciales, cauterizaciones, abrasiones, inserciones de cuerpos extraños en músculos, así como la modificación de los cuerpos con fines mágicos, médicos o cosméticos, eran prácticas crueles, pero realizadas con "la mejor intención" en beneficio de la comunidad. ¿Por qué atormentaban el propio cuerpo con tanta persistencia? ¿Existía alguna relación entre los ritos tribales y los hombres de cráneo alargado? ¿Es posible que, como en otras culturas, las poblaciones sucesivas tendieran a deformar las cabezas de sus niños para que se parecieran a esta raza de "sacerdotes serpiente"? En Malta, estas eran prácticas comunes entre una población misteriosa que erigió templos gigantes para la Diosa Madre entre el 4100 y el 2500 a.C. Estos cráneos pueden haber pertenecido a los últimos exponentes de la casta sacerdotal más antigua que construyó los templos megalíticos, quienes —sin mezclarse nunca con las poblaciones locales— continuaron reproduciéndose a lo largo de los milenios mediante relaciones dentro de la familia (práctica usual entre la elite) y, en consecuencia, empobrecieron su patrimonio genético hasta que, inevitablemente, surgieron patologías que llevaron a su final desaparición».

## OTRAS TENDENCIAS EN DEFORMACIÓN

Se sabe que la práctica del vendaje de la cabeza tuvo derivaciones como la conocida costumbre de vendarse los pies de los chinos (la que estuvo en uso en China continental hasta los años cuarenta). Al parecer, los antiguos chinos —y también los modernos— creían que las mujeres con pies pequeños y deformados eran más atractivas que las mujeres con pies normales. Desafortunadamente, la práctica era muy común, especialmente entre las concubinas y las mujeres de clase alta de la sociedad mandarina de China.

En 1976 viví como inquilino en la casa del Secretario del Tesoro taiwanés, un tal general Yi. A su esposa se le habían vendado los pies de manera relativamente suave, lo que impedía que pudiera caminar de forma normal. Muchos de los dedos quedaban todo el tiempo unos

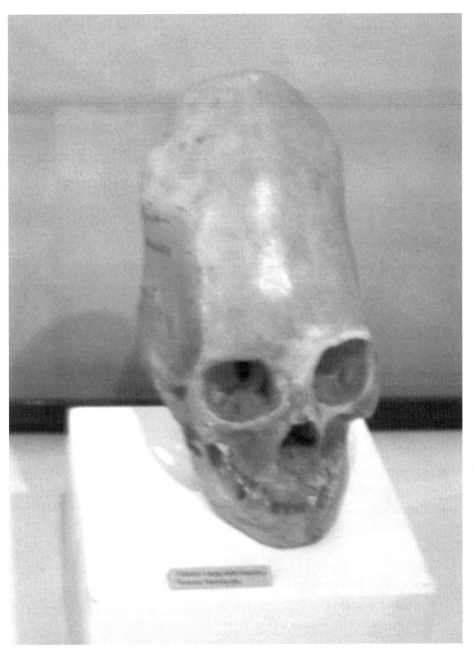

Cabezas cónicas encontradas en Ica, Perú.

sobre otros para que los pies pudieran caber en zapatos en extremo pequeños y angostos. Las concubinas a quienes se les habían vendado los pies con mayor fuerza —los que quedaban plegados— casi no podían caminar, y por las noches los sirvientes debían cargarlas hasta los aposentos de sus amos para que pudieran asistir a sus citas semanales.

De forma similar, se conoce a los mayas por pensar que las mujeres con estrabismo eran más atractivas que aquellas que no tenían esa condición. Por esa razón, los mayas sostenían una bolita de arcilla o una piedra con una cuerda frente a los ojos de las niñas pequeñas y las obligaban a mirarla fijo. Con el correr del tiempo, la niña quedaba estrábica de forma permanente por mirar fijo a la bola suspendida. Es posible que durante ese periodo también se le vendara la cabeza.

Entonces, aquí podemos ver cómo la deformación deliberada del cráneo, los pies y los ojos puede formar parte de los fetiches y los extraños conceptos de belleza de una cultura.

## LOS EUNUCOS CHINOS Y EL VENDAJE DE LA CABEZA

Los eunucos existieron en África, Medio Oriente y China hasta tiempos modernos. En general, a los eunucos chinos le extirpaban la totalidad de los genitales masculinos y orinaban como mujeres. En China y otros países los eunucos eran funcionarios del estado muy bien remunerados —a menudo, eran las personas más cercanas al emperador.

En el breve análisis de la deformación craneal y la curiosa hendidura en forma de V que hace en su libro *El mundo olmeca*, Bernal menciona también a los eunucos de ese pueblo. Según afirma este autor:

> Otra transformación del rostro, en este caso únicamente estilística, tiene que ver con la asociación hombre-jaguar y, en muchas ocasiones, la asociación niño-jaguar. En este caso, se combinan los rasgos humanos y

felinos: por lo general la boca es del animal y las demás características, humanas.

Ya describí las particularidades (las que posiblemente hayan sido reales) de los cuerpos. Si bien las figuras corporales eran casi siempre representaciones masculinas, las tallas nunca incluían órganos genitales. No creo que esto haya sido así por modestia; tal vez haya tenido que ver con la curiosa insistencia en el arte olmeca de representar figuras humanas con patologías. Tal vez las figuras representaran eunucos. También hay estatuillas de enanos y jorobados y representaciones bastante realistas de personas enfermas, posibles leprosos, cretinos con deficiencia tiroidea y de personas con sobrepeso por desequilibrios hormonales.

Existen buenos motivos para creer que la razón por la que muchos de los hombres olmecas carecían de genitales es que eran eunucos. Esto explicaría gran parte de los comportamientos y formas de adoración extraños reflejados en el arte olmeca. Pero si hemos de concluir que en la cultura olmeca se convertía a ciertos hombres de clase alta en eunucos, debemos preguntarnos el porqué.

¿Por qué se transformaría en eunucos a los príncipes, sacerdotes o señores olmecas? En China y Medio Oriente, los eunucos eran los guardias del harén del emperador y también se desempeñaban como diplomáticos y mensajeros. Era una noción extendida que los eunucos eran excelentes maestros para los reyes jóvenes y también servidores muy confiables.

La representación tradicional olmeca del infante ceñudo con el cráneo alargado y carente de genitales bien puede deberse, como sugiere Bernal, a que eran eunucos. ¿Se trataba entonces de administradores de la China de la dinastía Shang que empleaban eunucos? ¿Por qué castrarían los olmecas a los niños pequeños? La civilización olmeca, aislada ¿crearía eunucos con el mismo objetivo de tener guardias para un harén real?

Los arqueólogos modernos se ven enfrentados al misterio que constituyen los olmecas, junto con sus aspectos y comportamientos extraños. Las estatuillas olmecas presentan una variedad de fisiono-

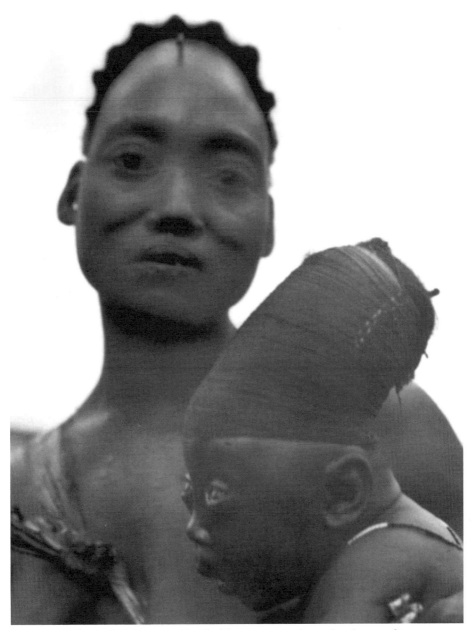

Mujeres de Mangetu. En el niño que carga la mujer de esta foto,
puede verse cláramente el proceso de deformación. Ambas fotos fueron tomadas
en 1920 en el Congo Belga.

mías y cabezas que resultan curiosas desde el punto de vista de cualquier historiador.

## Mejor que un agujero en la cabeza

Desde una perspectiva más práctica, debemos reconocer que mediante la deformación de los cráneos estos llegan a medir casi el doble de largo, lo que permite que el cerebro se expanda a un tamaño mucho mayor del normal. ¿Significa esto que las personas dolicocéfalas tenían cerebros más grandes y, por lo tanto, eran más inteligentes o tenían mayores habilidades psíquicas que los humanos con cráneos normales? Esta es una idea interesante si se toma en cuenta que a menudo los científicos afirman que no utilizamos la capacidad completa del cerebro. Es posible que una persona con un cerebro y un cráneo más grandes haga un mayor uso de su cerebro y, por ende, tenga una ventaja sobre las personas con cerebros de tamaño normal.

Tenemos también los curiosos hoyos que se encontraron con frecuencia en cráneos de diferentes partes del mundo. El proceso de taladrar o serrar hoyos en el cráneo se denomina *trepanación*, signos de lo cual se encontraron en cráneos alargados y también en cráneos normales. La trepanación puede consistir en un hoyo redondo o cuadrado —hecho mediante cuatro cortes con una sierra— en el cráneo. El hecho de que las personas sobrevivían a esta antigua cirugía cerebral, por llamarla de algún modo, se evidencia en que se han encontrado cráneos con hoyos de trepanación alrededor de los cuales había depósitos de calcio posteriores a la misma.

Una vez más, la pregunta es ¿por qué?

La teoría general y popular es que la trepanación era un tipo de cirugía cerebral que se aplicaba en la antigüedad a personas con problemas mentales. Estas culturas creían que una persona con un problema mental —como la esquizofrenia o como escuchar voces— estaba poseída por espíritus malignos o algo por el estilo. Al perforar la cabeza de la persona con el problema mental podían liberar a los

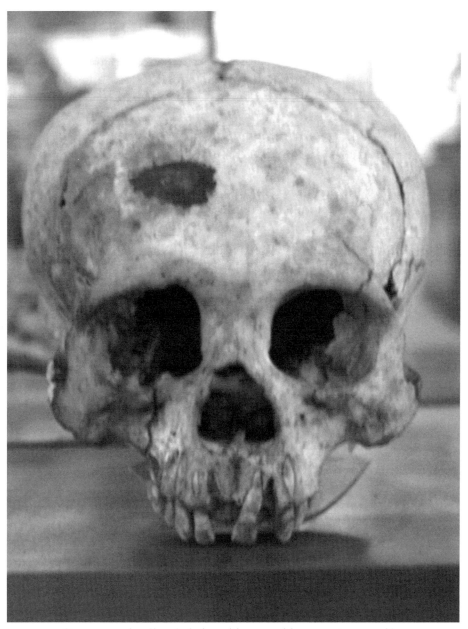

Craneo con huellas de haber sido sometido a una trepanación.
La teoría general y popular es que esta operación era un tipo de cirugía cerebral
que se aplicaba en la antigüedad a personas con problemas mentales.

espíritus del mal que estaban ocasionando el problema con la esperanza de que el paciente mejorara.

Por otro lado, existe la curiosa idea de que una perforación en el cráneo puede incrementar las habilidades psíquicas de las personas. Hasta donde entiendo, el primero en proponer esto en la literatura popular fue el escritor británico T. Lobsang Rampa en su libro *El tercer ojo*, publicado originalmente en 1960. En este libro —la supuesta historia real de la vida del autor como estudiante de medicina en un monasterio tibetano en los años veinte— Rampa cuenta que en su juventud le hicieron una perforación en la frente para que liberara sus poderes psíquicos latentes.

Con un rústico perforador de mano le hicieron un hoyo de cinco centímetros en la frente. Luego llenaron el agujero con un trozo de una madera especial y colocaron un ungüento de hierbas en toda la zona. Rampa la describe como una experiencia traumática, si bien afirma que después de ella pudo comenzar a ver más fácilmente el aura etérea de sus pacientes y otras cosas. Si bien es dudoso que *El tercer ojo* sea una obra completamente verídica como afirma su autor, no por eso deja de ser una historia fascinante.

Intervenciones como esta también tuvieron lugar en los sesenta en Gran Bretaña y Holanda, donde un pequeño grupo de excéntricos creía que la horadación de la parte superior de su cabeza los dejaría *colocados* de manera permanente y, en teoría, les daría mayores poderes psíquicos. El escritor británico John Michell relata algunos de estos casos en su libro de 1984 *Eccentric Lives and Peculiar Notions* (en español, «vidas excéntricas y nociones peculiares») en el capítulo titulado «The People with Holes in their Heads» (en español, «la gente con agujeros en la cabeza»).

Michell sostiene que el fundador del movimiento de trepanación moderno es el Dr. Bart Hughes de los Países Bajos. Hughes descubrió en 1962 que el estado y el grado de conciencia están relacionados con el volumen de sangre en el cerebro. De acuerdo con esta teoría evolutiva, la adopción de la postura erguida trajo ciertos beneficios a la raza humana, pero hizo que el cerebro quedara en parte sediento de oxígeno debido a los efectos de la gravedad y a la dificultad de recibir la suficiente cantidad de sangre. Ese desequilibrio puede corregirse mediante diversos métodos, como pararse de cabeza, pasar de un baño caliente a uno frío o consumir drogas, pero el mayor nivel de conciencia obtenido de este modo es solo temporal. Bart Hughes creía que con un agujero en la cabeza se incrementaría el flujo de sangre al cerebro al contrarrestar los efectos de la gravedad.

En 1965 un londinense de nombre Joseph Mellen conoció a Bart Hughes en la isla turística española de Ibiza y se convirtió rápidamente en su principal (y tal vez único) seguidor. Él también perforó su cabeza y unos años más tarde escribió un oscuro libro llamado *Bore Hole*. Más adelante, Mellen conoció a otra londinense excéntrica llamada Amanda Feilding, con quien se mudó. Amanda estaba impresionada por Mellen y el agujero que este tenía en la cabeza y decidió perforar la propia. Fielding llegó incluso a hacer un cortometraje sobre la operación que se hizo a sí misma, el que se llamó *Heartbeat in the Brain* (en español, «latido en el cerebro»). En la película, Feilding se afeita la cabeza y luego se hace una perforación con una barrena; la sangre sale a borbotones a medida que la herramienta penetra en el cráneo.

Más allá de lo extravagante de esta historia moderna de trepanación, Mellen y Fielding continuaron sus vidas con felicidad. Incluso puedo decir que los conocí hace unos años en una fiesta en Londres; ambos parecían bastante normales.

## Los olmecas, los extraterrestres y la Atlántida

En los últimos años, la corriente arqueológica dominante reconoció que los olmecas son bastante populares en lo relacionado con el área de especulación de los astronautas antiguos. Cuando Ignacio Bernal publicó las primeras síntesis sobre los olmecas a finales de los sesenta, la hipótesis de los astronautas de la antigüedad aún no había llegado a la cultura popular. Pero en poco tiempo, las gigantescas cabezas con rasgos africanos se incorporaron a la teoría de que algunos de los dioses antiguos eran, en realidad, astronautas. Escritores como George Hunt Williamson, Robert Charroux, Erich von Daniken, Zechariah Sitchin y otros han relacionado a los antiguos egipcios con los olmecas y con extraterrestres.

Básicamente, esta teoría sostiene que vinieron a nuestro planeta visitantes del espacio que ayudaron a dar forma a las civilizaciones antiguas. Según esta hipótesis, los extraterrestres tenían cabezas alargadas y rasgos orientales (como ojos angostos y rasgados, a los que en ocasiones se llama «ojos almendrados»), y sus cráneos alargados eran naturales.

Las estatuas y otras figuras halladas en antiguos sitios sumarios en Irak indican que algunos de los habitantes del área tenían cabezas alargadas y ojos hinchados y finos, como almendras. Se considera que esas estatuillas tienen aspecto de reptil, y en nuestros días los arqueólogos se refieren a ellas como figuras de «sacerdote-serpiente» o «lagartija». ¿Representan estas a seres humanos o a seres de otros mundos?

Según la teoría extraterrestre, los visitantes eran los amos supremos de las poblaciones primitivas de la Tierra (la que posiblemente habían sido diseñadas mediante ingeniería genética por ellos), y sus súbditos humanos sentían por ellos gran admiración. Cuando estos seres de otro mundo regresaron a su propio planeta, los seres humanos que quedaron a cargo decidieron emular a esos visitantes con cabezas alargadas y un aspecto muy distinto al de ellos. De esta manera, la elite gobernante de los humanos adquirió la práctica de la deformación craneal con el fin de intentar parecerse a esos amos extraterrestres que una vez los habían gobernado.

Una teoría similar sobre los olmecas y su deformación craneal es que ese pueblo estaba formado por lo que quedó de los puestos de avanzada del antiguo continente perdido de la Atlántida. Según esta hipótesis, por razones que se desconocen a los atlantes les gustaba tener cabezas largas y cónicas, lo que tal vez tenía relación con los poderes psíquicos. La Atlántida estaba constituida por muchas razas diferentes, al igual que los Estados Unidos y que Olman.

Se cree que en sus viajes alrededor del mundo los atlantes causaron una fuerte impresión en otras culturas debido a su alto nivel de civilización y conocimientos sobre el mundo psíquico y científico, y que las colonias atlantes —como las ubicadas en México, Perú y Egipto— comenzaron a imitar a los colonizadores y sus extrañas costumbres, como el vendaje de cabeza.

Esto podría explicar por qué la deformación craneal es una costumbre tan difundida. Puede vérsela en la antigua Sumeria, entre los vigías de Kurdistán y entre parte de la realeza egipcia. Esto también encaja con las teorías de que los olmecas y la cultura tiahuanaco del lago Titicaca y el altiplano de Perú (quienes también tenían por costumbre vendarse la cabeza) estaban alineados con lo que quedó de la civilización atlante, a menudo denominada Liga Atlante. Una de las marcas distintivas de estos antiguos reyes de los mares es que utilizaban un turbante, objeto en sí mismo relacionado con la práctica de vendarse la cabeza. ¿Serán los turbantes los últimos restos modernos de esa antigua práctica?

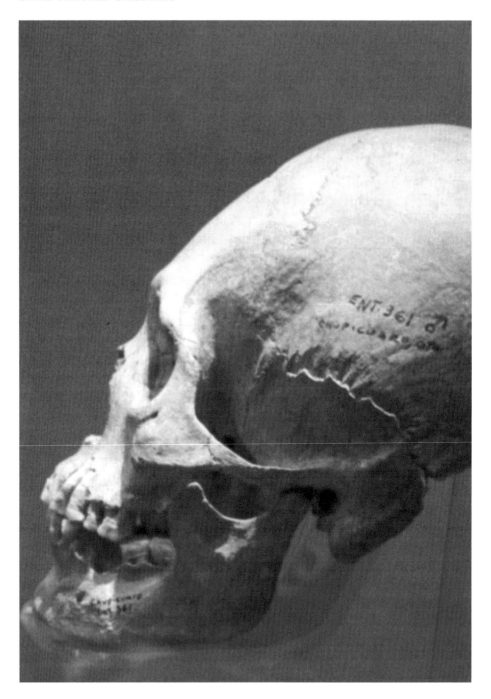

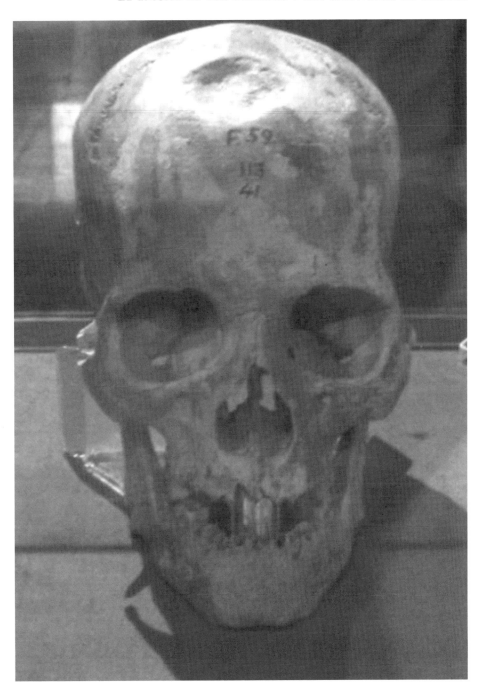

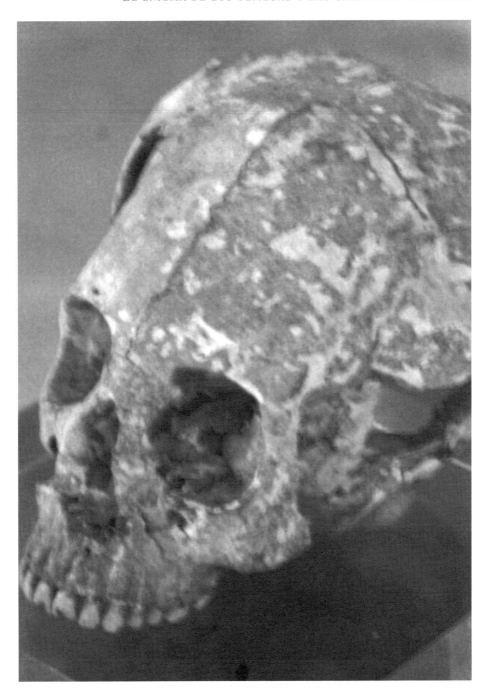

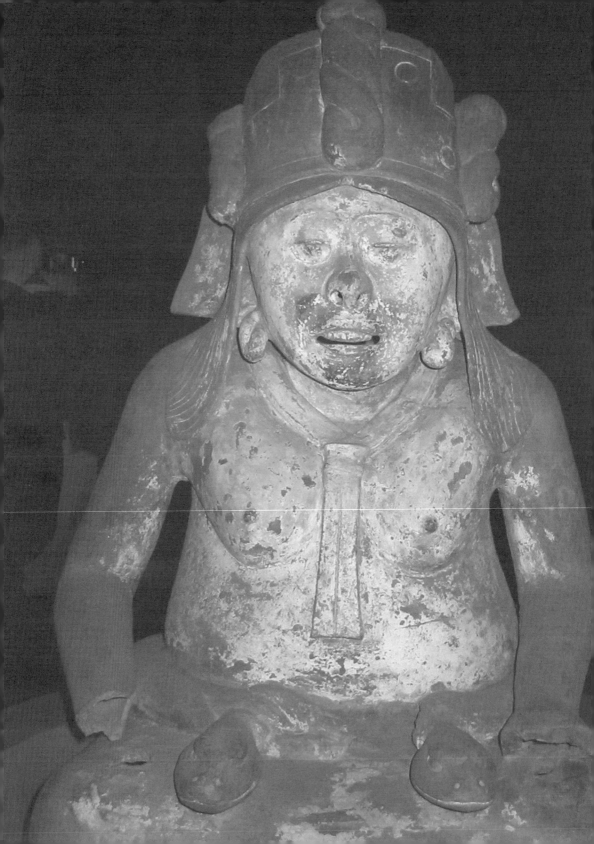

# Capítulo 6
# El enigma de la escritura olmeca

*Sin embargo, las evidencias que demuestran la presencia africana son cráneos y esqueletos de africanos hallados en los emplazamientos olmecas.*
Dr. Ivan van Sertima, *African Presence in Early America* (1987)

## El misterio de los jeroglíficos olmecas

La cuestión de la escritura en las Américas siempre ha sido fuente de controversia. Según la mayoría de los arqueólogos, la escritura era desconocida en Sudamérica. Mientras que los antiguos peruanos fueron capaces de construir edificios y muros megalíticos de magnífica ingeniería, por alguna razón nunca inventaron un método de escritura.

Sin embargo, en América del Norte sí se utilizaron diversas formas de escritura, y se cree que la más antigua fue la escritura olmeca. La escritura epiolmeca (escritura postolmeca) también se conoce como escritura istmiana. Debido a la extensa inscripción en la estela 1 de La Mojarra, a veces se la llama escritura La Mojarra. Ahora se sabe que esta data al menos del año 650 a.C.

La escritura olmeca, aún no descifrada, ¿pudo haber sido una invención independiente de ellos o proviene de una civilización anterior? ¿Fue el legado de un mundo más antiguo y fantástico todavía, de un mundo del otro lado del océano?

Los jeroglíficos olmecas más antiguos se remontan a 1000 años a.C. o aun antes, pero no tienen forma de texto. No se conoce la existencia de códices olmecas. Solo se sabe que existen cuatro códices mayas.

Según afirma Ignacio Bernal en su breve comentario sobre la escritura de este pueblo en *El mundo olmeca*:

> En el área olmeca existen otras inscripciones que, si bien no están relacionadas con el calendario, tienen jeroglíficos que muestran el uso de alguna clase de escritura. En consecuencia, en el monumento 13 de La Venta pueden verse varios jeroglíficos, entre ellos uno que representa un pie, el que luego se repite en épocas posteriores. El personaje en el monumento 10 de San Lorenzo muestra un jeroglífico sobre su pecho. En otras esculturas hay caracteres que también funcionan como jeroglíficos, por ejemplo la X que simboliza las manchas de la piel del jaguar. De la misma manera, una parte del jaguar, la zarpa o la boca, representa a todo el animal. Esta convención se volvería común en la escritura mesoamericana.
>
> Otros elementos son solo decorativos, pero algunos parecen haber sido jeroglíficos ya desde aquel periodo tan antiguo debido a que los encontramos cumpliendo esa función en culturas olmecoides o posteriores. Por ejemplo, la V con los extremos retorcidos se convierte en el jeroglífico C de Monte Albán. Drucker sugiere que los olmecas crearon jeroglíficos que posteriormente desarrollaron los mayas, por ejemplo los cuadrados con los ángulos redondeados, que en general se presentan vacíos cuando son olmecas pero están llenos de otros motivos en el arte maya.
>
> Todos estos datos señalan inequívocamente la existencia de escritura en la zona olmeca, al igual que la de un calendario que fue el prototipo mesoamericano.

El monumento 13 de La Venta tiene el que posiblemente sea el jeroglífico más antiguo de América. Este monumento representa a un hombre barbado que lleva un turbante y una faja en la cintura y sostiene en la mano izquierda una enseña o una guadaña. Hay además tres jeroglíficos: el superior es un círculo, que tal vez debió ser llenado pero nunca lo fue; el jeroglífico del medio parece el ratón Miguelito (¿acaso este es el «jeroglífico del pie» de Bernal?) y el jeroglífico de abajo semeja la cabeza de un ave, tal vez un guacamayo o un loro. Es posible que estos tres jeroglíficos formen el nombre de esta persona.

Curiosamente, el monumento 13 de La Venta no se menciona con frecuencia en libros acerca de los olmecas. No pude hallar ninguna referencia a él en el libro *The Olmecs* de Diehl o en el libro *Chalcatzingo* de David C. Grove. Esto es en extremo curioso ya que se lo halló en La Venta y puede contener los jeroglíficos más antiguos de los olmecas y de toda Mesoamérica. ¿Acaso no mencionan al monumento 13 porque la figura muestra en forma clara rasgos raciales curiosos? Mientras hemos llegado a asociar el aspecto de los olmecas con una cruza entre africanos y chinos, este hombre se ve en verdad diferente. Su apariencia es mucho más mediterránea por su espesa barba y bigotes, como si fuera un marinero fenicio o libio. Es una clara evidencia de la naturaleza cosmopolita de los olmecas —podían parecer africanos, fenicios, chinos o indígenas americanos. A menudo el rostro es marcadamente distinto en cada estatua o figura del mismo sitio arqueológico.

Los arqueólogos creen que los olmecas utilizaron jeroglíficos simples durante cientos de años y finalmente estos se convirtieron en una forma de escritura común llamada epiolmeca. Distinta de la escritura maya —aunque con sus similitudes—, el epiolmeca, al igual que los jeroglíficos olmecas anteriores, ha desconcertado a los arqueólogos durante décadas. Mientras existen caracteres y jeroglíficos sueltos epiolmecas en elementos de jade y estatuas de piedra, no se conocen muchos textos en esta antigua forma de escritura.

Se cree que la escritura epiolmeca llegó hasta alrededor de los años 500 a 300 a.C. Es alrededor del 300 a.C. que se considera que comenzó la escritura maya. Existen cuatro importantes escritos epiolmecas y todos ellos son bastante extensos: la estela 1 de La Mojarra; la estatuilla de Tuxtla, la estela C de Tres Zapotes y una máscara estilo teotihuacano (la que actualmente se encuentra en una colección privada).

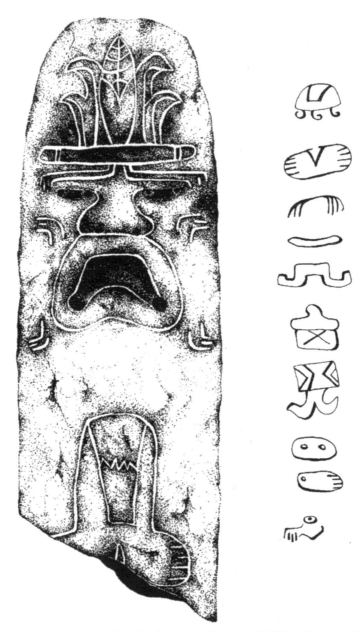

Resto olmeca con inscripciones, hallado en El Sitio, Guatemala.

Estatuilla olmeca con jeroglíficos en el pecho y en el sombrero.
Cuilapan, Oaxaca.

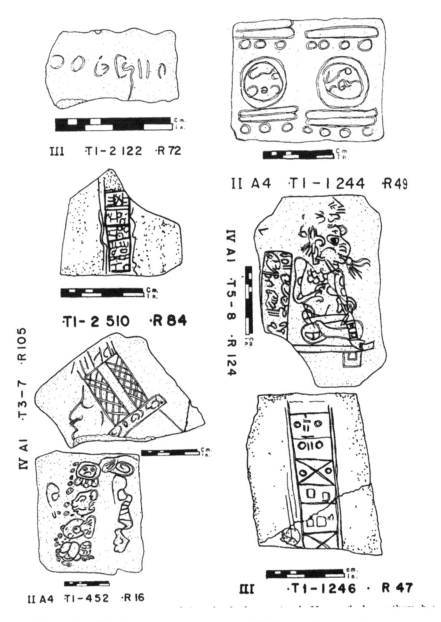

III TI-2122 ·R72

II A4 ·TI-1244 ·R49

IV AI ·T5-8 ·R124

TI-2510 ·R84

IV AI ·T3-7 ·R105

II A4 TI-452 ·R16

III ·TI-1246 · R47

Reproducción de restos de cerámicas halladas en Comacalco.
Todas ellas tienen diversos tipos de inscripciones.

Monumento Número 13 de La Venta con jeroglíficos olmecas.
El hombre representado usa un turbante, tiene barba y luce más como un fenicio que como un típico olmeca. En ocasiones este personaje fue llamado "El embajador" por los primeros mexicanos y por los arqueólogos europeos en referencia a que era un posible visitante de una cultura extranjera (quizás Cartago o Tartesos).

197

Inscripciones olmecas halladas en el Monte Alban.

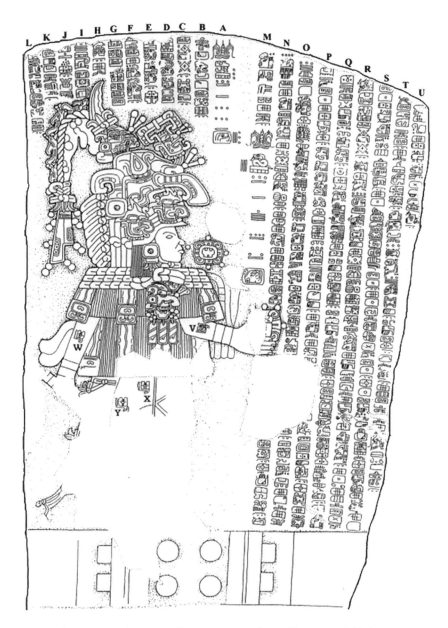

La famosa Estela La Mojarra encontrada en Veracruz, México.

199

| | ′0 | ′1 | ′2 | ′3 | ′4 | ′5 | ′6 | ′7 | |
|---|---|---|---|---|---|---|---|---|---|
| ′00x | | | | | | | | | ″0x |
| ′01x | | | | | | | | | |
| ′02x | | | | | | | | | ″1x |
| ′03x | | | | | | | | | |
| ′04x | | | | | | | | | ″2x |
| ′05x | | | | | | | | | |
| ′06x | | | | | | | | | ″3x |
| ′07x | | | | | | | | | |
| ′10x | | | | | | | | | ″4x |
| ′11x | | | | | | | | | |
| ′12x | | | | | | | | | ″5x |
| ′13x | | | | | | | | | |
| ′14x | | | | | | | | | ″6x |
| ′15x | | | | | | | | | |
| ′16x | | | | | | | | | ″7x |
| ′17x | | | | | | | | | |
| ′20x | | | | | | | | | ″8x |
| ′21x | | | | | | | | | |
| ′22x | | | | | | | | | ″9x |
| ′23x | | | | | | | | | |
| ′24x | | | | | | | | | ″Ax |
| ′25x | | | | | | | | | |
| ′26x | | | | | | | | | ″Bx |
| ′27x | | | | | | | | | |
| ′30x | | | | | | | | | ″Cx |
| ′31x | | | | | | | | | |
| | ″8 | ″9 | ″A | ″B | ″C | ″D | ″E | ″F | |

Tabla de jeroglíficos olmecas y epiolmecas.

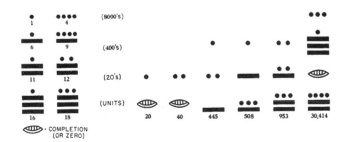

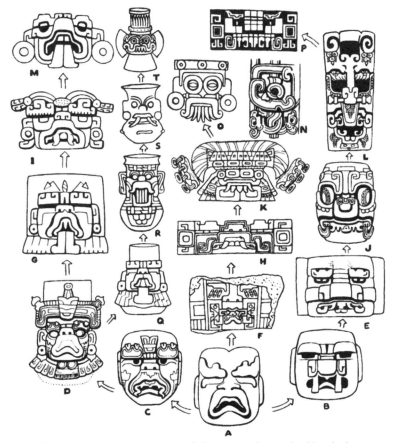

Numeraciones olmecas y epiolmecas y la evolución de las
Máscaras del dios de la lluvia.

Vaso de cerámica encontrado en Chalcatzingo con jeroglíficos.

Inscripciones encontardas en Tres Cantos.

## La estatuilla de Tuxtla y la escritura epiolmeca

La importante estatuilla de Tuxtla fue descubierta en 1902 por un granjero mientras araba su campo en las cercanías de La Mojarra, en la falda oeste de las montañas de Tuxtla en el estado de Veracruz —las montañas de Tuxtla son también donde se encuentra la cantera de la que se obtuvo la materia prima de las famosas cabezas colosales. Debido a la escritura sobre ella, la estatua se vendió en el mercado negro y, según se afirma, se contrabandeó a Nueva York escondida en un cargamento de hojas de tabaco. El Instituto Smithsonian la adquirió poco tiempo después por una suma desconocida.

La estatuilla de Tuxtla es una pequeña pieza redondeada de 16 cm de altura de nefrita (una piedra verde similar al jade, aunque no tan dura) tallada, que representa a una persona retaca con pico y alas de pato. Tiene 75 jeroglíficos tallados en escritura epiolmeca. La estatuilla de Tuxtla es uno de los pocos ejemplos existentes de este sistema de escritura y, por lo tanto, es invalorable.

El rostro humano tallado en la piedra es calvo, parece tener ojos orientales y grandes orejeras redondas. El rasgo más llamativo es que, en lugar de boca, la estatuilla tiene un largo pico que le llega hasta el pecho. Este pico se identificó como el de la garza cucharera, un ave local que abunda a lo largo de Tabasco y la costa sur del Golfo de Veracruz. Las alas o capa de forma alada envuelven el cuerpo, y los pies están tallados en la base. A esta estatuilla bien se la podría llamar «olmeca alado con pico de pato». Con frecuencia a los olmecas se los representa volando, por lo que se los conoce típicamente como «olmecas voladores».

La estatuilla de Tuxtla también es notable porque sus jeroglíficos incluyen la fecha del calendario mesoamericano de cuenta larga de marzo de 162 d.C., la cual —en 1902— era la fecha en cuenta larga más antigua que se había descubierto. El arqueólogo y epigrafista estadounidense Sylvanus Morley sugirió, al igual que otros, que la fecha fue grabada tiempo después de la creación de la estatuilla. Por lo tanto, la misma podría ser del 500 a.C. o más antigua aún.

La estatuilla de Tuxtla actualmente se encuentra en Dumbarton Oaks, Washington DC, como parte de la colección del Smithsonian. Podríamos preguntarnos si la escritura en la misma es una suerte de encantamiento o sortilegio mágico. Otro artículo curioso en la colección del Smithsonian en Dumbarton Oaks es el pectoral de estilo izapa que presenta una figura sentada y un texto jeroglífico. Este pectoral maya quizá esté grabado con oraciones protectoras o algún otro tipo de conjuro mágico. ¿Fue la estatuilla de Tuxtla un talismán mágico que llevaba su propietario para que lo protegiese?

Desde el descubrimiento de esta estatuilla se hallaron otros jeroglíficos epiolmecas, algunos sobre cuatro estelas muy maltratadas por la intemperie en Cerro de las Mesas, en el estado de Veracruz. Se cree que Cerro de la Mesas fue un asentamiento olmeca, y el lugar contiene cientos de artificiales, muchos de ellos agrupados alrededor de una laguna hecha por el hombre. En el distrito se hallaron una cantidad de estelas que contienen muestras de escritura epiolmeca.

También hay una serie de jeroglíficos en un fragmento de cerámica de Chiapa de Corzo, la capital indígena de Chiapas. En el fragmento se halló una fecha en cuenta larga que corresponde al 36 a.C., junto con algunos jeroglíficos epiolmecas. El sistema de números olmeca, y presumiblemente su calendario, era el mismo que usaron los mayas.

En 1997 los epigrafistas y arqueólogos John S. Justeson y Terrence Kaufman anunciaron el descubrimiento de una nueva columna en el texto jeroglífico tallado sobre la estela 1 de La Mojarra. En noviembre de 1995 se descubrió una columna de jeroglíficos muy dañada sobre el costado de la estela 1 de la Mojarra, en el sur de Veracruz, México, y Justeson y Kaufman afirman que la mayoría de los símbolos en esa columna han sido identificados mediante exámenes nocturnos con luz artificial, lo que hizo posible una transcripción y traducción casi completa de la misma. Según comentaron los arqueólogos, estos datos amplían la modesta colección de textos jeroglíficos epiolmecas y confirman varios aspectos del descifre de esa escritura.

Justeson y Kaufman aseveran que lograron descifrar la escritura epiolmeca con la ayuda del nuevo texto jeroglífico de la estela 1 de

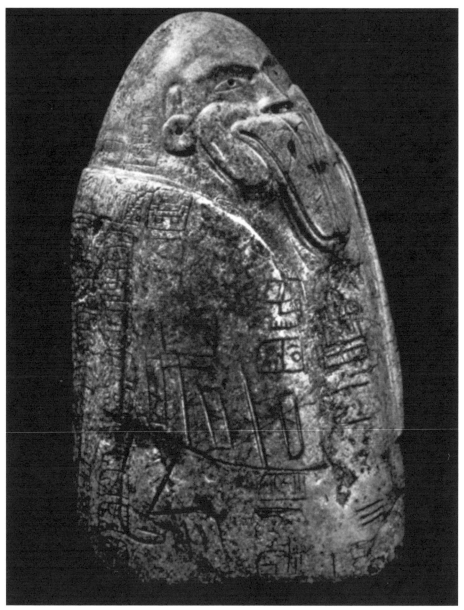

La famosa estatuilla de Tuxtla.
Actualmente se encuentra en el Instituto Smithsonian.

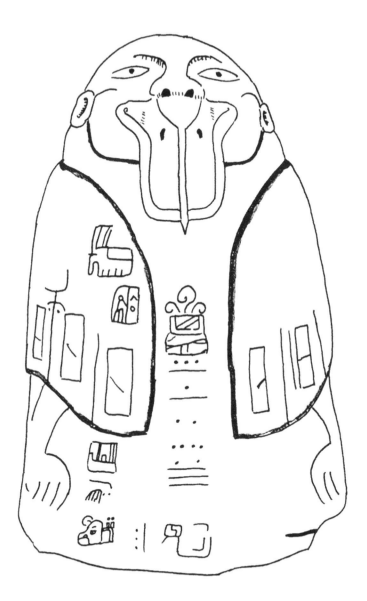

Boceto de la estatuilla de Tuxtla para apreciar mejor los jeroglíficos.

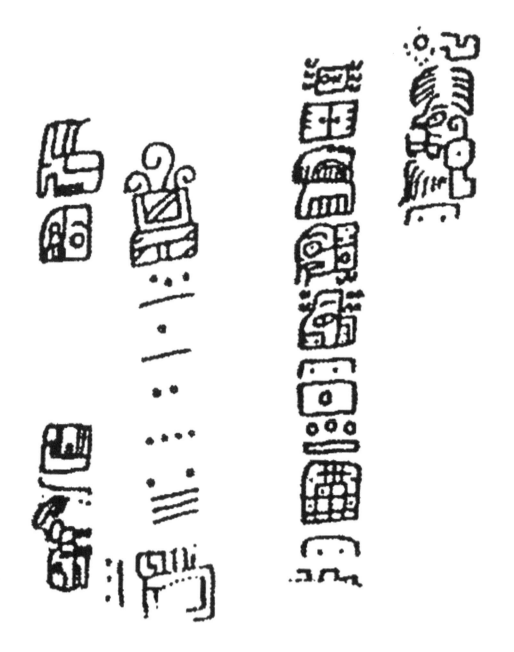

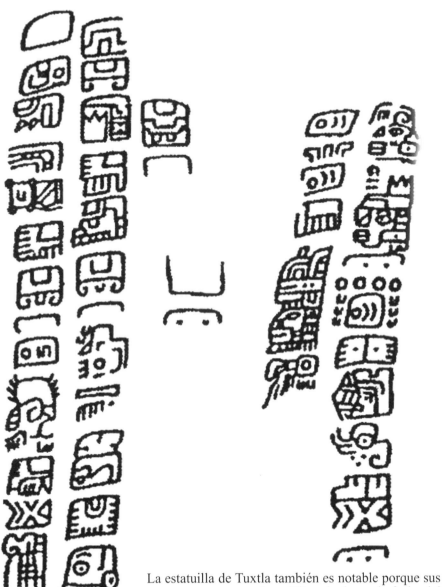

La estatuilla de Tuxtla también es notable porque sus jeroglíficos incluyen la fecha del calendario mesoamericano de cuenta larga de marzo de 162 d.C., la cual —en 1902— era la fecha en cuenta larga más antigua que se había descubierto.

La Mojarra y en su publicación de 1997 presentan un descifre de istmiano, al que colocan dentro de la familia de las lenguas mixe-zoqueanas.

Sin embargo, al año siguiente Stephen Houston y Michael D. Coe impugnaron su interpretación. Aplicaron sin resultado el sistema de descifre de Justeson y Kaufman a la «máscara O'Boyle» o «máscara Teo», una máscara de piedra que forma parte de una colección privada de procedencia desconocida.

Hay aproximadamente 23 jeroglíficos en esta máscara, de la que se dice que es de estilo teotihuacano. Aparentemente no existen dudas de que la máscara y los jeroglíficos son auténticos; pero lo que estos dicen, como en todos los escritos olmecas y epiolmecas, es un misterio.

Según un artículo publicado en el periódico *Deseret News* el 26 de enero de 2004, un estudio de la máscara Teo realizado por el arqueólogo de la universidad Brigham Young Stephen Houston y su colega de la Universidad de Yale, Michael D. Coe, contradice las afirmaciones anteriores de que el lenguaje había sido descifrado por Justeson y Kaufman.

Dice el artículo:

> En 1993 dos investigadores —John S. Justeson, de la Universidad Estatal de Nueva York, Albany, y Terrence Kaufman, de la Universidad de Pittsburg, ambos profesores de antropología— afirmaron en la publicación Science que habían descifrado ese lenguaje escrito.
>
> Kaufman y Justeson llaman a esta escritura «epiolmeca». Sin embargo, Houston y Coe la denominan «istmiano» porque fue escrita por los pueblos que vivieron en o alrededor del Istmo de Tehuantepec en México. Lo datan entre cinco siglos antes y cinco siglos después del año 1 d.C. Kaufman y Justeson dijeron que descifraron las escrituras basados en pistas semánticas relacionadas con prácticas culturales conocidas y en la similitud de los jeroglíficos con otras escrituras de la región que ya habían sido interpretadas.
>
> Afirmaron poder leer las escrituras más antiguas conocidas de América del Norte, las inscripciones en grandes piedras grabadas llamadas

estelas que se hallaron en Veracruz, México. Las fechas en las piedras, agregaron, eran los años 159 d. C y 162 d.C.

El anuncio tuvo repercusión internacional, pero Houston y Coe dudaron de que alguien pudiese leer la escritura. ... En su nuevo artículo escriben que Justeson y Kaufman son académicos respetados, pero no están de acuerdo con que los escritos hayan sido descifrados.

La escritura es «inmensamente compleja; es decir, está muy bien desarrollada con una gran cantidad de símbolos», dijo Houston al Deseret Morning News.

«Si realmente fuesen legibles» dijo «abrirían una ventana a un gran fragmento del pasado.»

La máscara —ahora en manos privadas— apareció unos quince años atrás. Su gran cantidad de signos implica un importante agregado a la pequeña colección de materiales en esa escritura, y fue puesta en conocimiento de Houston y Coe por un colega de ellos.

«Es uno de los escasos ejemplos bien conservados de este sistema de escritura que jamás haya salido a la luz» afirmó Houston.

El hallazgo permitió a los científicos revisar el supuesto significado de los jeroglíficos según lo publicado por Justeson y Kaufman. Coe delineó ciertos factores que deben existir para que se pueda efectuar un descifre convincente de un antiguo lenguaje escrito: debe haber alguna clase de escritura paralela en una lengua que haya sido descifrada; la escritura desconocida debe representar un lenguaje que sea comprensible, con vínculos cruzados con imágenes que permitan a los científicos comprobar los significados.

«La realidad es que ninguno de estos requisitos existía para el descifre propuesto», dijo Houston.

Un gran problema, según él, es que existen muy pocos ejemplos conocidos de este sistema de escritura. Las escrituras mayas pueden llegar a diez mil ejemplos. En lo que respecta a esta escritura, sin embargo, ese número apenas sobrepasa los diez, dijo.

Cuando apareció la máscara surgió una nueva oportunidad para poner a prueba las afirmaciones de Kaufman y Justeson.

«Mike y yo encajamos prolijamente los valores» que se adjudicaron a los jeroglíficos en la investigación anterior», dijo. «¿Cuál fue el resul-

La Máscara O'Boyle o Máscara Teo es una máscara de piedra que forma parte de una colección privada de procedencia desconocida. En ella hay aproximadamente 23 jeroglíficos que actualemente siguen sin poderse descifrar.

Detalle de la Máscara Teo que muestra
de cerca los jerogíficos que tiene.

tado? El mensaje sería una extraña serie de palabras como "sangre… boca… coge él coge…"»

Houston y Coe escriben en su artículo que el supuesto descifre que se realizó de los símbolos de la máscara «no nos dice nada nuevo, ni inesperado o ni esperado, acerca del texto istmiano y de la máscara que lo porta». «En cambio, los valores insertados devuelven un revoltijo semántico.»

«Desde nuestro punto de vista, es poco probable que sea válido» el descifre propuesto por Justeson y Kaufman, concluyeron.

A pesar de reiterados intentos de comunicarnos con ellos por teléfono y correo electrónico, Justeson y Kaufman no accedieron a conceder una entrevista. Sin embargo, Justeson envió un comentario de una frase por correo electrónico relacionado con el estudio de Houston y Coe: «Sus argumentos en contra de nuestros métodos y sus resultados pueden responderse fácilmente, y lo haremos en un medio científico adecuado.» La nota está firmada por Justeson y Kaufman.

Houston dijo que la manera terminante en la que se habían publicado los hallazgos originales obstaculizaba una discusión científica. Lo «ha hecho más difícil de discutir, porque ahora se ha convertido en una cuestión desagradable discrepar con estos dos colegas» afirmó.

«Yo en verdad creo que, con la evidencia actual, es imposible descifrar este sistema de escritura,» dijo Houston. «Simplemente no tenemos los elementos necesarios para lograrlo.»

El anuncio del descifre del epiolmeca parece ser la razón por la que esta máscara, hasta entonces desconocida, ha salido del anonimato y llegado a la vista del público. Todo este episodio que gira alrededor de uno de los pocos artefactos en el mundo grabados con escritura epiolmeca hace pensar cuántos más de este tipo podrían estar escondidos en colecciones privadas, razón por la que su importante contribución al conocimiento acerca de los olmecas nunca se materializará.

Las afirmaciones de Kaufman y Justeson no han podido verificarse, a pesar de que la batalla continua en monografías y correos electrónicos entre aquellos que encuentran importantes estas pequeñas cuestiones.

Desde una perspectiva más amplia, puede ser correcto que el epiolmeca esté dentro del rango de la familia de lenguas mixe-zoqueana, pero ¿qué nos dice esto? ¿Dónde se originó esta escritura? ¿Acaso vino de la dinastía Shang de China? ¿Fue un invento independiente de los olmecas? ¿Tenía alguna relación con el fenicio u otros idiomas como los hallados en Comalcalco?

## ZAPOTECA, EPIOLMECA Y ESCRITURA MAYA

Los antiguos jeroglíficos olmecas y la posterior escritura epiolmeca han hecho que los arqueólogos modernos estudiaran en profundidad en qué lugar se había originado realmente la escritura en América del Norte. El debate todavía continua, y aunque la escritura epiolmeca solo se ha estudiado en detalle en los últimos veinte años, la mayoría de los arqueólogos cree que la primera forma de escritura fueron los primitivos jeroglíficos olmecas, tales como los hallados en el monumento 13 de La Venta.

El maya y el epiolmeca pueden haberse separado en una época temprana, y ciertamente el sistema de escritura maya fue el que más perduró. Alrededor del año 200 a.C. existían al menos tres sistemas de escritura principales: el zapoteca, el epiolmeca y el maya. En el periodo Clásico de Mesoamérica (300 al 900 d.C.) había más sistemas de escritura, la mayoría de ellos derivados del zapoteca, tales como el teotihuacano, ñuiñe, xochicalco, mixteca, mixteca-puebla y azteca. Se admite generalmente que todos estos sistemas de escritura se pueden dividir en dos grupos: el del sudeste y el oaxacano. El grupo sudeste incluye las escrituras maya y epiolmeca.

El epigrafista Lawrence Lo, un ingeniero de software de San Francisco que opera el sitio llamado Ancientscripts.com, dice lo siguiente acerca de la escritura epiolmeca:

> Se conoce poco acerca [del epiolmeca], ya que este sistema actualmente se encuentra en las etapas iniciales de descifre. Lo que se puede afirmar, sin embargo, es que definitivamente es un sistema logofonético que utiliza tanto símbolos fonéticos como logográficos y que es un lenguaje antiguo

de la familia mixe-zoqueana. También utiliza la cuenta larga para datar sucesos importantes, y suponiendo que la cuenta larga epiolmeca tiene una fecha de comienzo similar a la cuenta larga maya, el rango de la cuenta larga epiolmeca abarca desde el siglo I antes de nuestra era al siglo VI de nuestra era, si bien es muy probable que haya comenzado mucho antes.

… Justeson y Kaufman propusieron que el lenguaje registrado en estas escrituras era pre-proto-zoqueano, el que pertenece a una pequeña familia de lenguas llamada mixe-zoqueana. Esta familia aún se habla en nuestros días en la zona del Istmo de Tehuantepec.

¿Por qué mixe-zoqueana? ¿Por qué no maya, o cualquier otra familia en tal caso? Bien: se ha especulado que quienes hablaban lenguajes mixe-zoqueanos permanecieron cerca del Istmo de Tehuantepec desde el Preclásico, y muchas lenguas mixe-zoqueanas modernas aún se hablan en esta zona. En segundo lugar, existe una gran cantidad de palabras mixe-zoqueanas utilizadas en otras lenguas mesoamericanas, tales como pom, o «incienso copal», un componente muy importante de todo ritual aun hoy en día, y kakawa, o «semillas de cacao», utilizadas para preparar bebidas rituales al igual que como moneda. Es probable que los olmecas hablasen una lengua mixe-zoqueana, ya que las necesidades ecológicas de estas plantas concuerdan con las características de la costa del Golfo de México. El argumento de Kaufman es que mientras los olmecas transmitían sus rituales, las palabras relacionadas con los mismos también se difundieron. También es probable que los pueblos que subsiguientemente habitaron la misma área geográfica que los olmecas descendieran de estos y hablaran una lengua mixe-zoqueana, y que, por lo tanto, su sistema de escritura representara también una lengua de esa familia.

De cualquier modo, este no es un modelo impecable. Todavía no hay suficiente información para aseverar que no hubo una afluencia de pueblos en el istmo que reemplazara a los habitantes primitivos. Además, la presunción fundamental de que los olmecas hablaban un lenguaje mixe-zoqueano aún es discutible. De hecho, la corrección del descifre de Justeson y Kaufman se puso en duda con el descubrimiento de una nueva máscara. Cuando los veteranos epigrafistas Stephen Houston y Michael Coe cotejaron los valores propuestos por

Justeson y Kaufman con los textos en la máscara, se encontraron con que la lectura distaba de ser satisfactoria.

El sitio oaxaqueño de Monte Albán, una ciudad posada sobre una montaña (cuya cima, al parecer, cortaron los olmecas), es un lugar de actividad zapoteca y olmeca. Aquí se hallaron jeroglíficos y numerales olmecas primitivos, lo cual daría sentido a que el zapoteca haya sido heredado de la primitiva lengua y escritura olmecas. Durante cierto tiempo estuvo en debate si los zapotecas o los olmecas fueron quienes originaron la escritura mesoamericana. Afortunadamente, casi todos los años se realizan nuevos descubrimientos referidos a la escritura olmeca y epiolmeca.

## LA ESCRITURA OLMECA MÁS ANTIGUA DATA DEL 900 A.C.

La fecha de la escritura olmeca más antigua fue retrotraída cientos de años cuando los arqueólogos que excavaban cerca de Veracruz en la costa del Golfo de México descubrieron el ejemplo de escritura más antiguo conocido del Nuevo Mundo, lo que llevó la fecha de la aparición de este crucial elemento cultural por lo menos 350 años hacia atrás, hasta alrededor del año 650 a.C., según anunciaron.

Este descubrimiento se presentó en un artículo del *Los Angeles Times* del 6 de diciembre de 2002 que decía: «Más importante aún, el descubrimiento de un sello y de fragmentos de una placa con inscripciones sugieren que la escritura fue desarrollada por la civilización olmeca y no por la zapoteca —fuente de escritura más antigua conocida hasta el momento— ni por la maya, que la llevó a su más alto grado de sofisticación… El nuevo hallazgo respalda la controvertida idea de una «cultura madre», de que los olmecas desarrollaron la mayoría de los conceptos y los transmitieron a sucesivas civilizaciones, en gran parte de la misma manera en que los griegos desarrollaron la cultura europea.»

Sin embargo, esta fecha del año 650 a.C. se llevó aún más atrás cuando se anunció que el bloque era, en realidad, cientos de años más antiguo. Esto se descubrió en 1999, cuando trabajadores que excavaban en una cantera mexicana encontraron un bloque de piedra de unos quince centímetros de espesor con extrañas incisiones en la superficie y se dieron cuenta de que tenían algo fuera de lo común en sus manos. Le avisaron a los arqueólogos locales, quienes lo llamaron «bloque de Cascajal» debido a un poblado cercano al sitio del descubrimiento y lo guardaron en una oscuridad relativa en el estado mexicano de Veracruz.

Stephen Houston, profesor de antropología de la Universidad de Brown en Providence, Rhode Island, y su equipo se enteraron de su existencia en marzo de 2006. Él y varios arqueólogos de otras universidades viajaron a Veracruz y se emocionaron al descubrir que estaban ante la muestra más antigua de escritura conocida en el hemisferio occidental.

Al analizar fragmentos de cerámica y figuras de arcilla desenterrados en la misma cantera, los académicos dataron la tabla alrededor del año 900 a.C., lo que le da aproximadamente tres mil años de antigüedad. Esto precede cuatro siglos la que hasta entonces se creía que era la escritura más antigua del hemisferio, y los entendidos ahora creen que el bloque de Cascajal fue tallado por los olmecas (entre el 1200 y el 400 a.C., según dice Houston).

El bloque de Cascajal es una placa rectangular de aproximadamente el tamaño de una hoja de papel legal, con trece centímetros de espesor y unos robustos doce kilogramos de peso.

La placa contiene 62 caracteres, veintiocho de ellos únicos. Algunos semejan vegetales, flores, conchillas de almejas o insectos, mientras que otros parecen representar formas geométricas tales como rectángulos o formas irregulares abstractas.

Los 62 símbolos están ordenados en líneas horizontales —algo inusual en la escritura mesoamericana, la que típicamente utiliza líneas verticales. Están agrupados de a pares y en tramos ondulantes de hasta diez símbolos.

Un comunicado de prensa del *National Geographic News Service* del 14 de septiembre de 2006 dice:

La placa, fechada en el año 900 a.C., provino de un antiguo montículo del cual unos trabajadores locales extraían piedras para construir un camino en

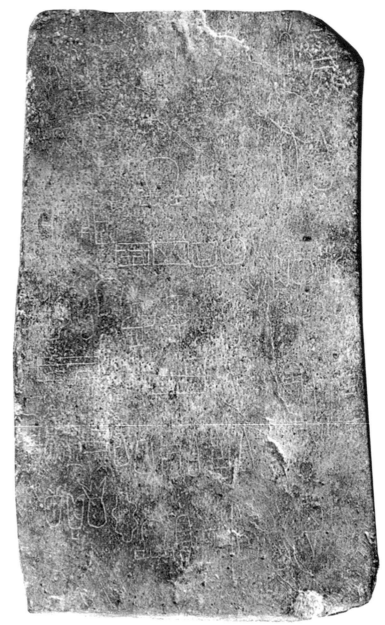

El bloque de Cascajal es una placa rectangular de aproximadamente el tamaño de una hoja de papel legal, con trece centímetros de espesor y doce kilos de peso.

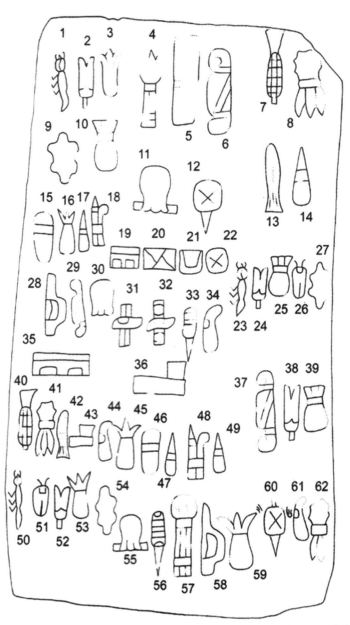

Detalle de los 62 símbolos encontrados en el bloque de Cascajal.

las cercanías. Según afirmó Houston, cuando hallaron el bloque en 1999 el propietario del sitio se dio cuenta de que la piedra era especial.

El dueño alertó a las autoridades locales, quienes llamaron a dos arqueólogos: María del Carmen Rodríguez Martínez, del Instituto Nacional de Antropología e Historia de México, y Ponciano Ortiz Ceballos, de la Universidad de Veracruz.

El equipo analizó la placa y sus escrituras con la ayuda de Houston de la Universidad de Brown y otros cuatro arqueólogos. Los investigadores observaron la pátina, la capa de químicos que se forma en la superficie a medida que pasa el tiempo. Los científicos también examinaron cerámicas halladas en el mismo montículo que la placa.

La mayoría de los artefactos datan de alrededor del 1200 al 900 a.C., época en que los olmecas estaban en la cumbre de su influencia.

Varias culturas vecinas desarrollaron más tarde sus propios sistemas de escritura, pero hasta ahora nadie había hallado escritura olmeca.

«Este era un gran agujero negro» dijo Karl Taube, un arqueólogo de la Universidad de California, Riverside, quien también trabajó sobre la placa. «Estaba esta civilización increíblemente desarrollada que tuvo contacto con el resto de Mesoamérica y tenía una gran base económica» dijo Taube. «Pero, ¿dónde estaba su escritura?»

Joyería, figuras y algunas piezas de cerámica contenían símbolos aislados que podían ser escritura olmeca. Pero la placa es el primer signo claro de que este pueblo tenía realmente una escritura. La escritura se nutre de la iconografía de la cultura, de aquellos símbolos y dibujos estilizados que adornan monumentos y figuras en el área y que tienen un significado.

«Todas estas imágenes realmente parecen ser olmecas», dijo Taube.

… El arqueólogo Christopher Pool de la Universidad de Kentucky en Lexington sabe de la placa desde hace unos años.

«Siempre fui un poco escéptico acerca de ella» dijo Pool. «En primer lugar, es única» continuó. Otro elemento crítico según Pool es que cuando Rodríguez y Ortiz obtuvieron la placa ya se la había retirado del suelo, con lo que se la sacó de su contexto arqueológico original.

Pero Houston, de la Universidad de Brown , tiene la esperanza de que el hallazgo atraiga mayor atención sobre la zona, lo que llevará al descubrimiento de más ejemplos de esa escritura.

La arqueóloga Mary Pohl de la Universidad Estatal de Florida, en Tallahassee, está de acuerdo con él.

La placa es un «gran descubrimiento» dijo. «Sospecho que habrá más novedades.»

Toda esta agitación en torno del bloque de Cascajal le da a los olmecas otros quince minutos de fama en los medios masivos de comunicación. Al datar del año 900 a.C., la placa demuestra en realidad que la escritura olmeca estuvo allí durante miles de años y que debe haber mucho, mucho más de ella que, o se ha perdido para siempre o aún espera que lo descubran.

Como dice Mary Pohl, es posible que se produzcan más hallazgos que amplíen nuestro conocimiento de la escritura olmeca, incluyendo el probable descubrimiento de textos todavía más antiguos de esta cultura, tal vez algunos provenientes del 1100 a.C.

## Antiguos caracteres chinos Shang, ¿la solución definitiva?

Sin dudas, durante la próxima década habrá nuevos descubrimientos y noticias acerca de los jeroglíficos y escritura olmecas. Aun así, es posible que el anuncio más importante ya haya ocurrido.

Según eruditos chinos, la «invención» china del eunuco se remonta a la dinastía Shang (1600 a 1028 a.C.). Lo que también se remonta a la dinastía Shang es la invención de la escritura, al menos en cuanto a los chinos respecta. Los caracteres chinos más antiguos se encontraron en huesos oraculares de la dinastía Shang. Estos son similares a los primitivos caracteres olmecas.

Con anterioridad mencioné que en un artículo publicado en el *US News and World Report* el 4 de noviembre de 1996, se decía que un erudito en lenguaje chino llamado Han Ping Chen examinó las famosas figuras y hachas de jade olmecas que se hallaron en La Venta y, tras estudiar cierta «escritura» en las hachas, declaró que «sin dudas, son caracteres chinos».

La parte del artículo que se refiere a la identificación de los primitivos caracteres olmecas como chino shang, dice así:

Pero la identificación que Chen hace de las marcas de las hachas agudiza aún más la controversia sobre su origen. Por ejemplo, el mesoamericanista Michael Coe de la Universidad de Yale califica la búsqueda de caracteres chinos por parte de Chen como un insulto a los pueblos indígenas de México. En todo el mundo existe apenas una docena de expertos en escritura shang, la que es en gran medida irreconocible para quienes sí pueden leer chino moderno. Cuando Mike Xu, catedrático de Historia China en la Universidad de Oklahoma Central, viajó a Pekín para solicitarle a Chen que analizara su lista de 146 marcas encontradas en objetos precolombinos, Chen se negó a hacerlo alegando que no tenía ningún interés en objetos ajenos a China. Solo cedió después de que un colega familiarizado con el trabajo de Xu insistiera en que Chen, como autoridad china en la materia, echara un vistazo. Lo hizo, y así descubrió que todas las marcas señaladas por Xu, excepto tres de ellas, podían haber venido de China.

Xu se encontraba junto a Chen en la Galería Nacional cuando el erudito en la cultura shang leyó el texto grabado en el hacha olmeca en chino y tradujo: «El soberano y sus caciques establecen los cimientos de un reino». Chen ubicó cada uno de los caracteres incluidos en el hacha en tres ajados diccionarios de chino que tenía consigo. Había dos caracteres adyacentes que usualmente significan «amo y súbditos», pero Chen determinó que, en este contexto, podían querer decir «soberano y sus caciques». Luego, reconoció el carácter de la línea inferior como el símbolo para «reino» o «país» —compuesto por dos picos que representan montañas y una línea curva debajo que simboliza un río. El siguiente carácter, según afirmó Chen, sugiere un ave pero significa «cascada», lo que completa la descripción. El último carácter, debajo de todo, se puede leer como «cimiento» o «establecimiento», lo que implica el acto de fundar algo importante. Si Chen está en lo cierto, las hachas no contienen únicamente la escritura más antigua del Nuevo Mundo, sino que también marcan la creación de un asentamiento chino hace más de 3000 años.

El artículo finaliza con la afirmación de que sobrevivieron más de 5000 caracteres shang pese a que los soldados que vencieron a las fuerzas de esa dinastía asesinaron a los eruditos y quemaron o enterraron todo objeto que llevase sobre sí escritura. En una excavación reciente en la capital shang de Anyang, los arqueólogos encontraron enterrada una biblioteca de caparazones de tortuga cubiertos de caracteres. A la entrada yacía el esqueleto del bibliotecario, apuñalado por la espalda y con algunas piezas escritas apretadas contra el pecho.

De manera que es posible que el colapso de la civilización shang haya interrumpido la visita anual de barcos a los puertos del Pacífico que formaban parte de la tierra de Olman. Los olmecas utilizaron durante un tiempo la primitiva escritura oracular shang, pero esta evolucionó hasta convertirse en propia y más tarde devino en la escritura epiolmeca y, posiblemente, en la escritura maya. Zonas como Comacalco eran literalmente campus universitarios donde los antiguos marinos aprendían diferentes lenguas junto a los residentes locales.

Para esta época, el maya era la lengua dominante sobre la costa atlántica, mientras que el zapoteca lo era en el interior y en la costa del Pacífico. Las excepciones serían Izapa y la costa del Pacífico de Guatemala, que pertenecen a la esfera de influencia maya.

Finalmente, con el paso del tiempo, la tierra de Olman fue tierra de muchos, y la escritura y el lenguaje de Olman devinieron en muchas escrituras y muchas lenguas diferentes.

# Capítulo 7
# El misterio continúa

La investigación arqueológica progresa con tanta rapidez que aun una versión generalizada está expuesta a una rápida obsolescencia. También existe el problema de lo errático de la información ... Cuando la evidencia es abundante a menudo es contradictoria, y la aceptación o el rechazo de las alternativas depende del marco teórico de referencia que se emplee.
Betty J. Megger, *Prehistoric America* (1972)

## LAS MINAS PERDIDAS DE LOS OLMECAS

Todos los años se hacen nuevos descubrimientos acerca de los olmecas, los que los convierten cada vez en un pueblo más antiguo y extendido que antes. Cuanto más sabemos acerca de ellos, más apreciamos su ingenio, su cultura cosmopolita, su sorprendente arte y la sofisticación de los desagües en sus ciudades, entre otros muchos logros. Pero las grandes civilizaciones no se construyen únicamente con enormes bloques de piedra, buena agua y servicios cloacales y una próspera red comercial: también necesitan metales.

Uno de los misterios de Mesoamérica es el enigma de la minería primitiva en América del Norte. El origen de todo el jade, esmeraldas, oro y otros metales no ha podido identificarse aun con certeza. Mientras que Sudamérica es conocida por haber tenido muchos artefactos de metal y minas antiguas, el origen y la cantidad de elementos metálicos en América del Norte se convirtió en un misterio. En tanto que el oro y otros artefactos de metal se tomaron como tesoros y se enviaron a España al comienzo de la conquista, más tarde se hallaron muy pocos elementos metálicos. Las minas de jade también eran prácticamente inexistentes; los arqueólogos conocen solo un yacimiento de este mineral: las minas cerca de Quiriguá, en Guatemala. ¿Dónde estaban las antiguas minas olmecas de jade y de metales? ¿Conocían los olmecas el metal, poseían artefactos metálicos? Hoy sabemos que sí, pero en el pasado los arqueólogos eran escépticos al respecto.

Hay ricos depósitos de minerales por todo México y América Central. Se sabe que los toltecas y los aztecas conocían la extracción y la fundición del oro y la plata y que utilizaban los metales para hacer ornamentos para adornarse y para fabricar escudos y utensilios domésticos.

Cuando los primeros exploradores españoles llegaron a Perú, América Central y México, su codicia se exacerbó al ver los adornos de oro, plata y cobre que eran comunes entre los pueblos aborígenes.

En las décadas de los cuarenta y los cincuenta, las dos controversias en la arqueología mexicana eran los olmecas y la cuestión de cuán extendida estaba la metalistería en Mesoamérica. Los arqueólogos llegaron a la conclusión de que en tiempos primitivos solo se hacían trabajos rudimentarios en oro. Se creía que las diferentes culturas no supieron cómo trabajar los metales hasta alrededor de la época de los aztecas y su imperio. Aunque parezca sorprendente, en Sudamérica ya existían técnicas sofisticadas para trabajar los metales en el año 1200 a.C., pero se suponía que esas técnicas no se habían conocido en México hasta miles de años después.

Según dijo el arqueólogo C. A. Burland, en 1519 México «estaba donde los sumerios y egipcios se encontraban en el año 3500 a.C.» En otras palabras, los arqueólogos clásicos dicen que las culturas de América Central estaban miles de años atrasadas con respecto a los progresos que alcanzaron las civilizaciones de Asia, Europa y África. Las culturas sudamericanas tales como la tiwanaku o tiahuanaco, y luego los incas, tuvieron emprendimientos mineros y metalúrgicos sofisticados más de mil años antes que los pobladores de México, pero —supuestamente— aún no tenían conocimiento de la rueda y de la escritura.

Von Hagen y otros arqueólogos clásicos afirman que ninguna de las culturas mexicanas primitivas trabajó el metal y que esta habilidad llegó con lentitud y de manera progresiva desde Sudamérica a través del intercambio indirecto. Dice Von Hagen en su obra *Los aztecas. Hombre y tribu,* publicada originalmente en 1958, sobre la metalistería: «No aparece en Teotihuacan, que ya era un recuerdo cuando la técnica del trabajo en oro y cobre llegó a México. Era desconocida para los mayas primitivos, y los artesanos olmecas se conformaban con hacer diademas de jade. No se practicó en México mucho antes del siglo XI.»

Esta suposición de que la metalistería no existió en México hasta cuatrocientos años antes de la conquista parece por demás curiosa. Es probable que en México, al igual que en el Viejo Mundo y en Sudamérica, la metalistería se haya practicado durante miles de años. De hecho, como veremos, muchas de las minas toltecas y aztecas estaban en zonas de México que en la actualidad forman parte de los Estados Unidos: los estados de Arizona, Nuevo México, Colorado, Utah, California y Nevada.

En un artículo del periodista David L. Chandler publicado en 1995 en el periódico *Boston Globe*, titulado *Ancient Mariners: Strong Evidence of Andean-Mexican Seagoing Trade as Early as 600 AD* (en español, «Marineros antiguos: Fuerte evidencia de comercio marítimo entre México y las poblaciones andinas desde el año 600 d.C.»), el autor se hace eco del pensamiento clásico acerca de la inexistencia de los metales en México y afirma: «Técnicas metalúrgicas únicas y sofisticadas, desarrolladas en Sudamérica ya en el año 1200 a.C., aparecen de pronto en México occidental alrededor del año 600 d. C, sin haber sido vistas en ninguna parte mientras tanto. La única explicación razonable, según la arqueóloga Dorothy Hosler, es el comercio marítimo.»

Al comentar el trabajo de Hosler, Chandler dice: «Siglos después de su desarrollo en Sudamérica, aparecieron en forma ines-

Estatua olmeca, de El Baúl, Guatemala.

Relieve de Chalcatzingo.

perada objetos metálicos en la costa oeste de México. Pero la inexistencia en el ínterin de artefactos metálicos de ese periodo en toda América Central, o en el interior y la costa este de México, indica que estos métodos de fundición, aleación y diseño no pueden haberse exportado por vía terrestre... A diferencia del uso de los metales en otras partes del mundo antiguo, donde el enfoque estaba en general puesto en armas y herramientas agrícolas, gran parte del énfasis de los trabajadores metalistas mexicanos y andinos era en objetos decorativos y ceremoniales tales como campanas, joyería y pequeñas herramientas como agujas y pinzas.»

Chandler continúa con un relato sobre cómo se usaba en Colombia y en México el proceso de fundición a la cera perdida. El análisis minucioso que realizó Hosler de los metales tanto de América del Norte como de Sudamérica demostró que, en lugar de que los metales mexicanos hubiesen llegado desde el sur, prácticamente todos los objetos hallados en México se habían hecho con minerales mexicanos, por lo que lo que habría venido del sur sería la tecnología empleada en metalistería. Para poder impartir tal conocimiento, las visitas debieron ser mucho más prolongadas y más amplias que lo que hubiese sido necesario para el simple comercio de bienes terminados, concluyó Hosler.

Sobre el final del artículo, Chandler cita a Hosler: «Uno de los aspectos que resulta muy interesante para los arqueólogos es que tendemos a pensar que estas dos grandes civilizaciones [la mexicana y la andina] crecieron sin mayor influencia mutua... Esta es una evidencia bastante clara de que hubo una interacción mucho más amplia de lo que se creía.»

De manera que ya existen importantes fisuras en el dogma arqueológico clásico de que la metalistería llegó tarde a México. Mientras que en 1958 se pensaba que no había habido metales en México hasta el siglo XI, ahora se cree que esto ocurrió alrededor del siglo VII, fecha aún relativamente tardía en mi opinión. Un problema con la mayoría de los artefactos metálicos es que, si permanecen a la intemperie, se corroen y deterioran. En el húmedo ambiente de la jungla que cubre casi toda el área en cuestión, esto sucedería con mucha rapidez. El oro, por otra parte, es indestructible, pero a menudo se lo reutiliza y convierte en lingotes o se lo transforma en diferentes objetos a golpes de martillo. A Cortés los emisarios de Moctezuma le dieron barras de oro cuando desembarcó en Veracruz procedente de Cuba en 1519.

Pero, ¿Es cierto que los mayas y los olmecas no conocían los metales? Arqueólogos mormones que buscaban pruebas de que el *Libro de Mormón* brinda una versión precisa de la historia mesoamericana —incluido lo relacionado con la metalistería primitiva— señalaron que los estudios lingüísticos ayudan a confirmar que en México se trabajaban metales en épocas muy remotas. Eruditos en maya y olmeca que trabajaron en la reconstrucción de parte de varias lenguas mesoamericanas quedaron perplejos al hallar que existía una palabra para «metal» en el año 1000 a.C., en tanto que la lengua olmeca tenía una palabra para ese término ya en 1500 a.C. (John L. Sorenson, *An Ancient American Setting for the Book of Mormon,* 1985, Deseret Book Company, Salt Lake City).

Más importante aún, en Mesoamérica se hallaron metales anteriores al 600 d.C. Es probable que un recipiente de cerámica datado alrededor del año 300 d.C. (mencionado por Sorenson) su usase para fundir. Una masa metálica encontrada dentro de este recipiente contenía cobre y hierro. El arqueólogo que hizo este hallazgo también encontró una refinada pieza de hierro en una antigua tumba de Mesoamérica.

Mucho más antiguas son las toneladas de hierro que al parecer extrajeron los olmecas. En 1996, una arqueóloga no mormona llamada Anne Cyphers aseveró que «se hallaron en San Lorenzo un total de diez toneladas de hierro en varios montones de gran tamaño, el más grande de los cuales era de cuatro toneladas. Antes del descubrimiento de estos cúmulos solo se conocían unas pocas piezas de hierro. Se encontraron mediante el uso de detectores de metal.» (William J. Hamblin, *«Talk on the Olmecs by Cypher»*, informado el 26 de septiembre de 1996 SAMU-L).

Dice Christopher Pool acerca de la metalurgia olmeca en su libro *Olmec Archeology and Early Mesoamerica* (en español, «La arqueo-

Estatuillas olmecas encontradas en Costa Rica y México. En la parte superior, una imagen encontrada en Nicaragua.

Estatua de el Baúl, México.

logía olmeca y la antigua Mesoamérica) (Cambridge University Press, 2007):

> Los olmecas también participaron en grado inusual en el intercambio de bienes de prestigio. Toneladas de mineral de hierro en forma de cubos de hierro perforados y espejos pulidos se importaron desde Chiapas y Oaxaca a San Lorenzo (Agrinnier 1984; Coe y Diehl 1980a; Cyphers y DiCastro 1996; Pires-Ferreira 1976b), y más tarde se enterraron espejos de hierro junto a individuos de alto rango en La Venta (Drucker et ál. 1959). Jade y serpentino de yacimientos ubicados en las tierras altas de Guatemala y quizá de México se depositaban como ofrendas en Laguna Manatí antes del 1500 a.C. (Ortiz y Rodríguez, 2000). La exhibición de tales piedras verdes exóticas alcanzó un nivel extravagante en el periodo Formativo Medio de La Venta, donde miles de toneladas de bloques de serpentino se enterraron como enormes ofrendas (Drucker et ál. 1959).

La minería es una actividad sofisticada y, al igual que la extracción, el traslado y tallado de las cabezas colosales, es indicativa de una cultura con alto grado de desarrollo, similar a las del antiguo Egipto, India, Sumeria o China. Entonces, ¿dónde fue a parar todo este material? ¿Se exportó parte de él fuera de Mesoamérica, a otros destinos transoceánicos? ¿También atravesaron los océanos parte del jade, la piedra verde y las esmeraldas?

## ORO OLMECA, ¿ORO AZTECA?

De manera que el origen y la práctica de la metalistería en México son, como vemos, controvertidos. Al igual que sucede con muchas otras cosas en el ámbito de la arqueología, el uso de los metales en México se remonta en forma permanente cada vez más atrás en el tiempo, hasta el punto en el que la metalurgia en México es contemporánea de la de Sudamérica. Como le damos el crédito a los olmecas por la invención de casi todo en Mesoamérica, desde el juego de pelota y las pelotas de caucho hasta la escritura, naturalmente sucede lo mismo también con la minería de metales y piedras preciosas.

Una de las características del oro es que es prácticamente indestructible. Todo el oro del tiempo de los olmecas aún existe hoy. Toda la joyería de oro del antiguo Egipto, China, Mesoamérica y de cualquier otro lado todavía perdura, ya sea en la forma de joyas, convertido en lingotes, transformado en monedas o como artefactos en museos y colecciones. El jade también es, en gran medida, indestructible; se trata de una piedra de increíble dureza. Sin embargo puede quebrarse y pulverizarse, dejándonos solo fragmentos de la pieza original.

Lo que nos interesa en este punto, sin embargo, es que los aztecas definitivamente tenían oro, plata, cobre y otros metales, al igual que —presumimos— minas. Pero parte de su oro pudo provenir de civilizaciones anteriores tales como la olmeca, y las minas aztecas pueden haber sido en un principio minas olmecas y epiolmecas.

Von Hagen afirma que la minería azteca era rudimentaria. «El oro se lavaba o recogía en pepitas; la plata, que rara vez se encuentra pura en la naturaleza, era un problema más grande y se utilizaba menos. El oro es un metal de gran ductilidad, ya que un simple grano se puede transformar en un hilo de 150 metros de largo. Los aztecas lo trabajaron con la técnica más simple. Se lo fundía en un horno calentado por medio de carbón vegetal, mientras que un hombre que soplaba por un tubo suministraba la corriente de aire que avivaba las brasas. Hay muy pocos implementos existentes, pero nos quedaron ilustraciones de la orfebrería. Trabajaban el oro mediante golpes de martillo, grabado, pulido, dorado y laminado.»

Los mercados de México solían tener plumas de ganso rellenas con polvo de oro. El conquistador Bernal Díaz vio que el oro se comerciaba en forma abierta en los mercados «colocado en delgadas plumas de ganso, de manera que el oro pudiese verse a través de ellas». Los orfebres tenían un gremio. Aquellos que se aglutinaban en la vivienda de muchas estancias de Moctezuma no pagaban impuestos; se les suministraba oro de depósitos aluvionales y se ocupaban en hacer piezas para Moctezuma y otros funcionarios. Bernal Díaz habla de los «trabajadores del oro y la plata... y de estos había un gran número en un pueblo llamado Azcapotzalco, a una legua de

Cabeza descomunal encontrada en Guatemala.

Estela hallada en El Baúl, Guatemala.

[Ciudad de] México». Como el oro se vendía en el mercado, podemos suponer que cualquier artesano que tuviese lo suficiente para canjear por plumas de ganso rellenas de polvo de oro podría trabajarlo luego y convertirlo en joyería para sí mismo o para comerciar.

La mayor parte del oro obtenido por los conquistadores de parte de Moctezuma, el equivalente a unos seiscientos mil pesos españoles, se fundió en lingotes; algunos objetos se consideraron demasiado bellos para ser destruidos, como las piezas que recibieron en Veracruz al comienzo de la aventura. Según la narración de Díaz, estas incluían «una rueda como un sol, grande como la rueda de una carreta con muchas clases de imágenes en ella, totalmente de oro fino y una cosa maravillosa de contemplar... Después se entregó como presente otra rueda de mayor tamaño hecha de plata de gran brillo que imitaba a la luna... Después se trajeron veinte patos de oro, bellamente trabajados y de aspecto muy natural, y algunos ornamentos como perros y muchos artículos de oro trabajados con forma de tigres y leones y monos... Doce flechas y un arco con su cuerda... todo en hermoso trabajo hueco de oro fino.»

Todo esto se envió intacto a Carlos V de España. Como él se encontraba a la sazón en Flandes, el barco de Cortés fue a su encuentro. Finalmente se lo halló en Bruselas, y el 12 de julio de 1520 los embajadores de Cortés le presentaron el trabajo en oro de los aztecas. Sus comentarios, lo que sea que haya dicho, nunca se registraron. Ese oro, como todo el que llegó procedente de la América, fue a parar a sus crisoles para transformarlo en lingotes con el fin de pagar a los soldados que lo mantenían en el frágil trono del Sacro Imperio Romano Germánico. Por fortuna, el gran artista Alberto Durero estaba allí en ese momento y dejó sus impresiones en su diario. Descendiente de una familia de orfebres húngaros establecida en Núremberg, Durero sabía qué era lo que veía. Escribió:

> Vi los objetos que le trajeron al rey [Carlos V] de la Nueva Tierra Dorada [México]; un sol íntegramente de oro, de una braza de ancho; asimismo una luna hecha en su totalidad de plata, igual de grande; también curiosidades diversas de sus armas y proyectiles... todo lo cual es tan bueno de ver que maravilla...

Estos objetos eran tan preciosos que se valuaron en 100.000 gulden. Pero nunca en mi vida he visto algo que haya alegrado tanto mi corazón como estas cosas. Porque vi entre ellas sorprendentes objetos artísticos y me maravillé del sutil ingenio de los hombres en esas tierras distantes. En verdad no puedo decir lo suficiente acerca de las cosas que estuvieron allí frente a mí.

Este fue el único comentario acerca de estos objetos de parte de alguna persona cuya opinión tuviese algún valor. Carlos V ordenó que en adelante todo el oro y la plata que llegase de las Indias fuese fundido a su arribo. Muy poco sobrevivió —salvo las maravillosas descripciones de los primeros conquistadores. Como finalmente quedó muy poco oro que hallar o ver, los historiadores del siglo XVIII comenzaron a pensar que el tesoro de los aztecas había sido exagerado en gran medida por los hombres de la conquista. Mientras que podían haber algunas barras de oro y algunos ornamentos finamente trabajados, no era nada parecido a lo que se había afirmado con anterioridad —al parecer, los aztecas en realidad no habían tenido mucho oro u otros metales para el pillaje de los conquistadores.

En 1931 se demostró que esto era incorrecto cuando el arqueólogo mexicano doctor Alfonso Caso encontró la tumba intacta de un cacique mexicano en Monte Albán, al sur de Ciudad de México, la que contenía soberbios collares, orejeras y sortijas. Los historiadores se dieron cuenta de que el simple y honesto Bernal Díaz se había quedado corto en sus descripciones y que Moctezuma debió en verdad tener un vasto acopio de tesoros de metal.

Lo que confundió a los arqueólogos fue que los conquistadores lograron adquirir una fortuna en oro y joyas de los aztecas, pero poco tiempo después ya no se halló más oro ni joyas en sus tierras. De manera que ¿de dónde provino todo el oro azteca —y adónde fue?

## LA MINERÍA OLMECA DEL JADE, LA TURQUESA, LA OBSIDIANA Y LAS ESMERALDAS

Los olmecas y otros pueblos mesoamericanos usaron el oro y la plata para engastar piedras preciosas. Los lapidarios, quienes trabajaban las piedras preciosas, eran muchos y eran «trabajadores calificados que empleaba Moctezuma». La principal de las piedras era el jade. Este se encontraba en el sur de México (actual Guatemala) y tenía un valor más alto que el mismo oro, lo que para Bernal Díaz resultó muy satisfactorio, ya que tomó cuatro jades durante la primera retirada española de Tenochtitlan y «me fueron muy útiles para curar mis heridas y procurarme alimento.»

El jade era un artículo de tributo, y el jeroglífico que lo representa se encuentra en el *Aztec Book of Tributes* (que en español significa «El libro azteca de los tributos») un extraño códice. Resulta muy sorprendente cómo los artesanos aztecas lograron el delicado manejo de una piedra tan dura que requería gran paciencia. Todos los objetos de jade se conservaban, aun las piezas más pequeñas del «precioso verde», para colocarlas en la boca de los difuntos a fin de que tomasen el lugar del corazón sofocado.

El jade era la piedra más valiosa de todas para los antiguos chinos, olmecas, mayas, zapotecas, mixtecos, toltecas y aztecas. El misterio rodea el amplio uso del jade en Mesoamérica, ya que en apariencia era abundante pero solo se conoce un único yacimiento de jade en América: las minas cerca de Quiriguá en Guatemala. Von Hagen dice que hay una diferencia, desde el punto de vista de la mineralogía, entre el jade de América y el de Oriente, lo que debería servir para descartar la idea de que los indios americanos obtenían su jade de China; el jade de ellos era «americano». Aun así, no estamos seguros de dónde provino. Parte pudo venir del sur de Nevada, donde también existen minas de jade, pero los historiadores no aceptan esa posibilidad.

A menudo las máscaras se hacían con jade o, cuando no se disponía de este, de una piedra verde menos valiosa. Las máscaras, con sus inexpresivos ojos rasgados y sus labios hinchados, eran frecuentes en todas estas culturas. Algunas son exquisitas; otras, repetitivas y hasta vulgares. La habilidad de los lapidarios era mucha; los objetos grandes sin dudas estuvieron a cargo de los profesionales, pero también hay muchos trabajos realizados por artesanos comunes. El cristal de roca, una piedra muy dura, no es fácil de trabajar. A pesar de ello los aztecas hicieron formas artísticas con él, desde piezas muy pequeñas hasta una calavera de tamaño real. Esta simbiosis entre belleza y muerte se encuentra en la actualidad expuesta en el Museo Británico, realzada por cortinas de terciopelo negro. La tarjeta postal con esta calavera es la más vendida del museo, según me dijo el administrador de la tienda de regalos en mi visita del año pasado.

Se sabe que la turquesa provenía del norte, por medio del intercambio. Era una piedra muy requerida y llegaba casi hasta Yucatán. Los aztecas exigían turquesas como una forma de tributo según los registros de once pueblos en las listas de pago de esas contribuciones. Se la utilizaba junto con otros materiales para la elaboración de mosaicos sobre máscaras, cuchillos y hasta muros.

Una de las razones por las que los aztecas y otras tribus mesoamericanas no utilizaban metales para hacer las puntas de flechas y espadas como en el Viejo Mundo era debido a la alta calidad de la obsidiana que obtenían cerca del lago Texcoco. Más filoso que cualquier metal, el cristal de obsidiana era una especialidad azteca; se lo exportaba como materia prima y también en forma de productos terminados. Resultado de la acción volcánica, la obsidiana se obtenía en las cercanías y se utilizaba para hacer cuchillos, navajas, ornamentos labiales o bezotes, espejos muy pulidos y otros objetos de inmensa belleza.

Según von Hagen, las esmeraldas (*quetzal-itzli*) eran la gema más apreciada por los aztecas, al igual que por los españoles. José de Acosta, uno de los primeros visitantes del Nuevo Mundo, escribió: «los reyes de México las tenían en alta estima, algunos la utilizaban para adornar sus fosas nasales y colgarlas en los rostros de sus ídolos». Tan pronto como Moctezuma fue elegido jefe, lo primero que hizo fue «perforarse el cartílago de la nariz, colgando de ella una rica esmeralda.»

Estatuilla con dos cabezas halladas en Xalapa.

Dibujo que reproduce una estatuilla de Ojo de agua, Chiapas.

Escribe este autor:

> Los conquistadores las vieron como símbolo de riqueza. Hernán Cortés las requisó todas para sí mismo; sabía que Cleopatra las usaba y que un peregrino cristiano que regresó de la India las vio en un templo de Buda «destellando su fuego a doscientas leguas en una noche despejada».
>
> Con respecto a su origen, Moctezuma dijo ignorarlo; eran «del sur». De hecho, provenían de una sola región, la zona montañosa de Colombia, cerca de Muzo, la única fuente de esmeraldas en esa época. Eran abundantes en Colombia, donde se las canjeaba por algodón y polvo de oro. También eran famosas en Panamá y se las utilizaba en combinación con oro, con excelentes resultados. Las obtenían para Moctezuma sus comerciantes pochtecas, quienes llegaron hasta más allá de Nicaragua. Las esmeraldas son blandas y se astillan con facilidad, y aun así los aztecas las cortaban en diseños intrincados —flores, peces, formas fantasiosas de exquisita factura. Hernán Cortés obtuvo las suyas directamente de Moctezuma, una con forma piramidal, «ancha como la palma de la mano», otras tan fabulosas que se dice que Carlos V se guardó los fantásticos adornos. Cortés rechazó 400000 ducados por ellas en Génova y las conservó así para doña Juana de Zúñiga, su prometida, hija de una familia ducal. A ella le obsequió cinco esmeraldas trabajadas por los aztecas, «una en forma de rosa, una como una campana con una perla por badajo, una como un pez, una como una trompeta, una como una copa».

De manera que podemos ver que los aztecas eran el centro de una vasta red comercial que traficaba joyas y metales valiosos. Las esmeraldas llegaban desde Sudamérica (hasta ahora no se halló ningún yacimiento en América Central); las turquesas, del sudoeste de América del Norte. El jade provenía del sur de Guatemala y tal vez de Nevada.

El oro y la plata al parecer llegaban de varias áreas en Mesoamérica, incluidas algunas minas en el sudoeste de América del Norte y el norte de México. Muchas de las minas aztecas, toltecas, mayas y zapotecas pueden haber sido en un principio minas olmecas, y muchas de ellas permanecen perdidas en la actualidad. El origen de todo el oro, el jade y las esmeraldas permanece en el misterio todavía

¿Habrá minas olmecas perdidas o secretas en la tierra antigua llamada Olman?

## El mundo perdido de los olmecas en Guatemala

Los primeros mapas de los olmecas, tal como el de Betty Meggers en su libro *Prehistoric America* (en español, «América prehistórica») de 1972, muestran una zona olmeca central o área núcleo alrededor de La Venta y Tres Zapotes. Pero también se hallaron artefactos olmecas en el Valle Central de México, área que ella denomina de *estilo teotihuacano*, y a lo largo de la costa del Pacífico de Chiapas y de Guatemala, zona a la que esta arqueóloga considera de *estilo izapa*.

En la actualidad se sabe que la tierra de Olman se extendía desde el Valle Central hasta la zona de La Venta y hasta la costa del océano Pacífico del Istmo de Tehuantepec y todavía más al sur a lo largo del Pacífico en Guatemala y hasta El Salvador, Nicaragua y Costa Rica. De hecho, las misteriosas bolas redondas de Costa Rica podrían ser de la era olmeca primitiva. Mientras que hallamos pequeñas estatuillas de aspecto olmeca en Costa Rica, es en Guatemala donde se encuentran las estatuas y cabezas de piedra más grandes. Algunas de estas rivalizan con las cabezas colosales que se hallaron en la costa del golfo, tanto en tamaño como en la habilidad de sus escultores.

En su libro *Olmec Archaeology and Early Mesoamerica*, Christopher Pool dice lo siguiente acerca de las monumentales estatuas olmecas:

> Entre las culturas de los periodos Formativo Temprano y Medio de Mesoamérica, los olmecas de la costa del golfo son excepcionales en varios aspectos. Su logro más evidente fueron las esculturas monumentales de piedra. Si bien las esculturas de piedra aparecen casi al mismo tiempo en la pendiente del Pacífico en Guatemala, en sitios tales como Takalik Abaj y Monte Alto, ninguna otra cultura contemporánea está a la altura de los olmecas en cuanto a la sofisticación, el tamaño y la cantidad de sus monumentos de piedra. De hecho, es precisamente la concentración de monu-

mentos de estilo olmeca en el sur de Veracruz y en Tabasco lo que distingue en forma más clara a Olman como una región cultural (Grove 1997: 51-53). Aunque los escultores olmecas representaron diferentes motivos y los estilos de escultura varían en el tiempo y el espacio por todo Olman, la coherencia en la representación, el tema y la expresión simbólica define una tradición escultórica olmeca consistente que se extiende entre los años 1400 y 400 a.C. Esto incluye un enfoque sobre personas y seres sobrenaturales imaginarios reproducidos con armoniosas líneas fluidas y grandes volúmenes y un conjunto de símbolos comunes que representan conceptos cosmológicos y las fuerzas de la naturaleza.

De la misma manera que sucedió con las cabezas enterradas que se hallaron en las cercanías de La Venta y Tres Zapotes, los trabajadores de las plantaciones de caña de azúcar situadas a pocas horas al sur de la ciudad de Guatemala, próximas al pueblo de La Democracia, comenzaron a descubrir cabezas gigantes y estatuas de basalto que eran sin dudas olmecas. En La Democracia existen estatuas olmecas gigantescas dispuestas en un anillo que rodea a la plaza principal. Características del estilo olmeca más famoso, estas cabezas gigantes de basalto y cuerpos enteros a menudo son de apariencia negroide. Un gran número de ellas representan hombres grandes, gordos, con narices anchas, labios gruesos, ojos desorbitados y con los brazos cruzados sobre el estómago. Otros ejemplares son curiosas cabezas de tipo asiático; una de ellas presenta un tocado de cuernos de carnero que caen como rizos y extraños símbolos en las mejillas.

Dentro del museo local hay más cabezas gigantes; estas tienen en su superficie grandes áreas cubiertas de líquenes. Hay piedras talladas en forma de setas que miden de treinta a cuarenta y cinco centímetros de altura. Los arqueólogos creen que estas probablemente representan las setas psicodélicas que eran muy apreciadas. Se piensa que el divino soma del antiguo Oriente Próximo e India era una bebida psicodélica fermentada hecha de setas, cuyo origen estaría en América Central.

En el museo también hay un disco solar de piedra, una máscara de jade (quizás la pieza más importante en exhibición), algunos pucheros muy grandes de piedra y mazas del mismo material. Tal vez los artículos más interesantes del museo sean los más pequeños: en una caja de vidrio cerca de la puerta había sellos de piedra de unos cinco centímetros de alto. Por haber vivido en Taiwán, Hong Kong y China a mediados de los setenta, estoy muy familiarizado con los sellos chinos, de los que poseo varios. El nombre del propietario se talla en forma artística en la base y se utiliza con lacre o tinta para autenticar documentos, cartas, etc. En China se los llama *chops*. Cómo se llamaban estas versiones olmecas de estilo izapa, no tenemos idea, pero sabemos sin dudas que se trataban de sellos.

Cerca de La Democracia hay una gran plantación de caña de azúcar llamada Finca el Baúl, la que cuenta con un museo privado. En él hay al menos veinte o treinta figuras megalíticas que también son olmecas. Representan hombres barbados, monstruos, dragones y hombres jaguar. Otros bloques de piedra son ornamentales, de formas rectangulares, y también hay cráneos más pequeños con ojos grandes y sonrisas amplias. Hay una gran estela antigua, con un jeroglífico que se dice es el símbolo maya para el jade —el único símbolo reconocible además de algunos numerales mayas formados por puntos y guiones.

En este pequeño museo también se encuentra una gran estela que muestra a un hombre con máscara de jaguar. Es de unos dos metros y medio de altura y lleva un cuello de estilo egipcio (me refiero a un cuello ancho, típicamente hecho de láminas de oro o cobre; los mayas usaban cuellos similares). Lleva un prisionero barbado y hay tres jeroglíficos redondos en la parte superior de la estela. En uno de los jeroglíficos en el ángulo superior izquierdo, se ve a un hombre que sale de una nube. En la parte baja de la estela hay seis hombres cruzados de piernas, con los brazos sobre el pecho.

Otra estatua es una gran cabeza de piedra, de un metro de altura, de un hombre barbado con un tocado y un cuello de estilo egipcio. Otra de las estatuas grandes representa a un jaguar de granito sólido, de un metro y medio de alto, sentado, con la actitud de un perro pedigüeño. Este animal también lleva un gran cuello estilo egipcio. Tiene colmillos y la lengua afuera de la boca. Quizás el más curioso de todos los objetos sea un pilar rectangular de piedra de alrededor de un metro de altura con una bola perfectamente redonda encima. El conjunto está esculpido en una sola pieza de granito y tiene dos cruces maltesas talladas a cada lado.

Todas estas piezas se habían hallado esparcidas en los campos cuando los trabajadores comenzaron a despejar el terreno para plantar caña de azúcar. Cerca de la finca, siguiendo varios caminos de tierra a través de los campos de caña hasta un pequeño sendero poco utilizado, se encuentra la cabeza gigante de El Baúl. Es una inmensa cabeza de ocho toneladas de peso que está parcialmente enterrada, de nariz aguileña, con un tocado, aretes y grandes ojos.

Cuando visité este lugar en 1990, conocido como El Castillo, había dos hombres adorando a la antigua estatua. Quemaban incienso, una antigua costumbre maya (y también hindú) y encendieron cinco velas junto a la base de la figura, donde habían colocado ofrendas de comida, bebidas alcohólicas y jade.

La estatua está hecha de un basalto muy duro y estaba cubierta de hollín y cera de las velas y el incienso. Está enterrada en el suelo hasta el labio inferior, y la porción por encima de la superficie mide un metro y medio de altura. Por detrás tiene surcos que en apariencia servirían para unirla a una construcción o a alguna otra estructura de piedra, tal vez un inmenso cuerpo.

En las cercanías hay un segundo monolito: una estela de unos dos metros totalmente fuera de la tierra, debajo de un árbol. En ella se representa a un hombre con un tocado, sin barba, que se encuentra de pie mirando hacia la derecha. Sobre su cabeza hay nueve círculos, seis a la izquierda y tres a la derecha. El tercer círculo de la derecha tiene un animal que porta un cuello, que mira hacia el hombre. Parece un toro, aunque el ganado vacuno era desconocido en América en ese tiempo.

La figura de la estela lleva una falda (como las que usaban los antiguos egipcios), y en la falda hay otro círculo que tiene en su interior un carnero.

Cuando le pregunté a uno de los hombres que estaban allí adorando la cabeza gigante si esta tenía algún nombre, me contestó «El Castillo», ningún nombre en especial.

Al mirar en derredor me di cuenta de que, al igual que en el caso de las estatuas gigantescas de La Democracia, debía de haber más. ¿Dónde están las construcciones? me preguntaba. La mayoría de estas piezas estaba enterrada o semienterrada. Las gigantescas estatuas de la finca también se encontraban esparcidas en los campos, enterradas, cuando se las halló. Me pareció obvio que en algún momento toda esta región del Pacífico de Guatemala había estado ocupada por una sofisticada y próspera cultura megalítica. Como es mi costumbre, me pregunté «¿Dónde están las ciudades perdidas?».

«Enterradas» me dije en voz baja, mirando los montículos a mi alrededor. Si se excavara El Castillo, sin dudas dejaría ver más estructuras. De hecho, había varios grandes bloques cuadrados dispersos en las cercanías, que alguna vez debieron ser parte de la construcción que alojó a las estatuas.

Muchas de las grandes estatuas que se encuentran en el parque de La Democracia provinieron del sitio cercano de pirámides llamado Monte Alto. La mayoría de ellas se encontraron enterradas en campos de caña de azúcar y no hay signos de la existencia de una ciudad en las cercanías. El sitio olmeca de Kaminaljuyú se encuentra a cientos de kilómetros hacia el oeste.

¿Qué cataclismo provocó el cambio que barrió con esta civilización fantástica y extravagante? ¿Puede haber sido el mismo cataclismo mencionado por la Biblia, los textos sumerios, las leyendas chinas y hopis? A mí me parece plausible. La variada naturaleza racial de las diferentes estatuas, desde cabezas negroides hasta rasgos asiáticos y mediterráneos barbados, se encuentra aquí al igual que en otros sitios olmecas.

Reliquias con forma de hongos, hallados en Guatemala.

Reliquias halladas en Guatemala.

Bocetos que muestran relieves encontardos en Chalacatzingo, México.

Dibujo que detallla el centro de un relieve que se encuentra en Copán,
en el Instituto Hondureño de Antropología e Historia.

Estela olmeca expuesta en el Museo de Xalapa, México.

Cabeza olmeca de dimensiones descomunales,
expuesta en el Museo de Xalapa, México.

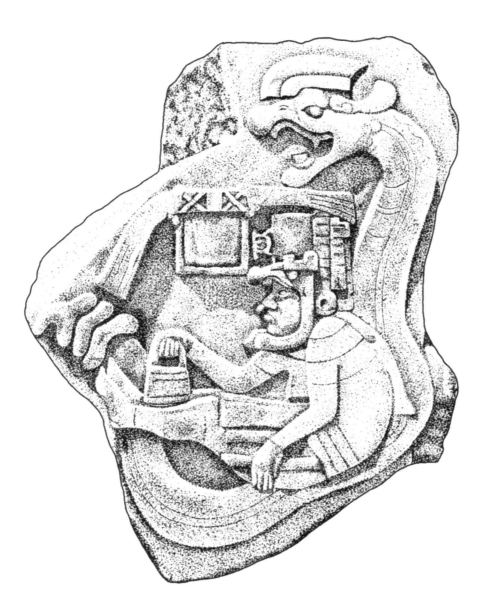

Boceto que detalla con más claridad la imagen olmeca del lado izquierdo
encontrada en La Venta.

## Los olmecas continúan siendo noticia

Hace poco tiempo, en enero de 2007, se anunció el descubrimiento de una gran ciudad olmeca —o de influencia olmeca— en el Valle de México, al sur de Ciudad de México. Los artículos que se escribieron acerca del hallazgo reflejaron sorpresa porque la nueva ciudad olmeca no se encontrara en la costa del golfo, sino a cientos de kilómetros tierra adentro.

El 26 de enero de 2007 algunas agencias de noticias se hicieron eco del anuncio del «descubrimiento oficial» de la nueva ciudad, llamada Zazacatla, por parte de la arqueóloga mexicana Giselle Canto. El sitio se encuentra cerca del pueblo de Xochitepec, a unos cuarenta kilómetros al sur de Ciudad de México.

Durante la conferencia de prensa, Canto dijo que dos estatuas y ciertos detalles arquitectónicos que se hallaron en el sitio indicaban que los habitantes de Zazacatla habían adoptado estilos olmecas cuando «pasaron de una sociedad simple, igualitaria, a una más compleja, de estructura jerárquica».

Canto dijo que «cuando su sociedad se volvió estratificada, los nuevos gobernantes necesitaron emblemas… que justificasen su autoridad sobre las personas que solían ser sus pares». Luego agregó que «sus habitantes quizás no fuesen étnicamente olmecas, pero al parecer reverenciaban a esa cultura como la más prestigiosa».

La excavación de Zazacatla comenzó en 2006 y a finales de enero de 2007 los arqueólogos habían desenterrado seis edificios y dos esculturas que aparentan ser sacerdotes de estilo olmeca. Entre otros símbolos olmecas, las esculturas parecen tener tocados con representaciones del jaguar, al que estos reverenciaban, además de otros símbolos de estatus y autoridad de esa cultura. Los arqueólogos estimaron la edad de esta ciudad en alrededor de 2500 años, lo que la ubica cerca del 500 a.C.

Algunos arqueólogos mexicanos, al igual que otros del Instituto Smithsonian, especularon que los signos de influencia olmeca hallados en Zazacatla y otras áreas alejadas de la costa del golfo podrían sugerir establecimientos, conquistas o misiones olmecas. Por otra parte, Canto afirmó en su anuncio que el centro ceremonial olmeca más famoso, ubicado a unos cuatrocientos kilómetros al este, era muy lejano para permitir un contacto directo, si bien podían haber existido vínculos de intercambio.

Da la impresión de que Canto podría estar equivocada al declarar que La Venta o cualquier otro sitio olmeca estaría demasiado lejos como para permitir un contacto directo. Es este tipo de afirmación absurda por parte de un supuesto experto lo que hace que uno sienta vergüenza ajena. ¿Por qué razón los olmecas no podrían haber tenido contacto directo con ciudades a cuatrocientos kilómetros de distancia? Los mayas y los aztecas tenían extensiones aun mayores como parte de su territorio y, naturalmente, construyeron un elegante sistema de caminos. Los aztecas tenían una red de intercambio que se extendía cientos de kilómetros hacia el norte, casi hasta el sudoeste de América del Norte.

Mientras que los romanos, los chinos, los persas, los incas y otros construyeron cientos de kilómetros de caminos sofisticados que incluían puentes y túneles, según Canto parecería que los olmecas fueron incapaces de hacerlo. De manera que, ¿quién utiliza un argumento racista, entonces? ¿Es una teoría racista la que dice que las civilizaciones de Europa, África, y Asia pudieron construir buenos sistemas de caminos, pero los olmecas no?

El hecho de que se descubriera una nueva ciudad olmeca, cercana a la ya conocida de Chalcatzingo, no parece tan sorprendente. Lo que sorprende es que los arqueólogos se sorprendan. ¿Por qué lo harían?

Tal vez sea porque muchos arqueólogos, tales como Coe y Diehl, nos dicen que los olmecas formaban un grupo pequeño y aislado que no estaba muy extendido. Por alguna razón, explican, su arte e iconografía eran populares y se expandieron en todas las direcciones desde el Istmo de Tehuantepec y la llamada zona central de La Venta y Tres Zapotes.

¿Es acaso posible que las zonas de la costa del Pacífico como los alrededores de Izapa en Chiapas y de Guatemala sean donde los olmecas se originaron en realidad? La costa del Pacífico aquí es muy escarpada y las montañas costeras caen a pico en el océano, y no se halló casi ningún resto arqueológico cerca de la orilla del mar.

Hay zonas de Guatemala que muestran signos de haber sido golpeadas por un maremoto del océano Pacífico, el que pudo haber barrido las ciudades de la región en forma instantánea y cubierto muchas de las cabezas y estatuas de piedra. La capital original de los olmecas ¿fue una ciudad en la costa de Chiapas o Guatemala ahora destruida?

Quizás un maremoto barrió con los centros olmecas sobre la costa del Pacífico cerca del año 1000 a.C. Los centros de La Venta y Tres Zapotes se convirtieron en las ciudades más importantes en esa época, pero decayeron quinientos años más tarde. Luego se formaron otros centros olmecas en el valle de México, tales como Chalcatzingo, Cuicuilco, Teotihuacan y ahora Zazacatla.

Aparentemente, el misterio de los olmecas no se desvelará en un día o en una semana, ni siquiera en los próximos años. Parece ser que perdurará por bastante tiempo más. Quizás el mundo invite a más eruditos chinos para que examinen los primitivos jeroglíficos olmecas. Tal vez haya nuevos y excitantes descubrimientos por venir que cambiarán por completo nuestra visión actual acerca de ellos. Es un periodo estimulante para la arqueología, al menos en lo que a la comprensión de los olmecas y, por extensión, de las raíces de la civilización en América del Norte concierne. La historia no siempre es políticamente correcta, pero la verdad de lo sucedido en el pasado debería estar más allá de la corrección y las políticas edulcoradas.

De manera que tenemos la esperanza de que en el futuro tanto los académicos como los legos vean el sorprendente arte y cultura de la cosmopolita civilización de los olmecas con una mente más abierta y con una apreciación más profunda de los numerosos misterios de la historia.

# Apéndice 1

# Los aztecas y Mesoamérica: La tierra de las calaveras de cristal

El progreso del hombre en México no delata
ninguna influencia del viejo continente durante este periodo
(del 1000 al 650 a.C.), excepto por un marcado
sustrato negroide vinculado a los magos (sumos sacerdotes).

Frederick Peterson, *Ancient Mexico* (1959).

Los cristales se usaron como talismanes mágicos en muchas culturas. Los griegos consideraban que los cristales de cuarzo eran «hielo congelado» —agua que había estado congelada durante tanto tiempo que quedó en estado sólido para siempre. El filósofo romano Plinio *el Viejo* citó como evidencia de que los cristales de cuarzo eran hielo ultracongelado el hecho de que se encontraban a gran altura en los Alpes, donde se hallan los glaciares, y no en sitios más bajos donde la temperatura es más cálida. Si bien esto es completamente erróneo, demuestra al menos que los romanos consideraban al cuarzo un material interesante.

De hecho, en la antigüedad los griegos y los romanos usaban bolas pulidas de cuarzo cristal de roca con fines adivinatorios. El hecho de que fuera muy difícil hallar un ejemplar tan grande del mineral que permitiera hacer una bola de cristal transparente hizo que estos objetos fueran aun mucho más valiosos y místicos.

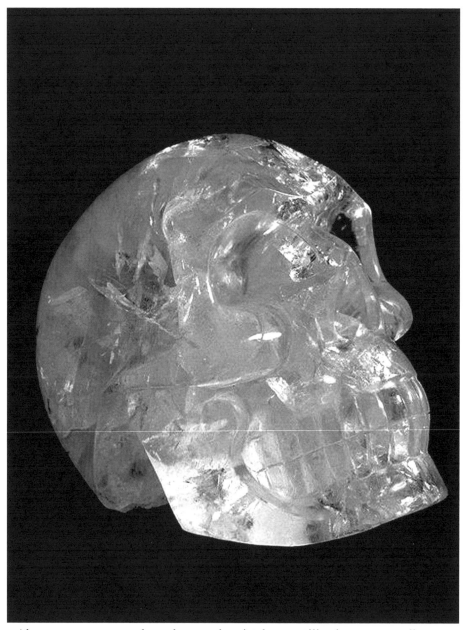

Algunos aseguran que las calaveras de cristal eran utilizadas como medio para adivinar el porvenir, pero nada hay que secunde esta idea. Sin embargo, de lo que no cabe duda es que se encontraban vinculadas a rituales.

Las bolas de cristal también se utilizaron en Escocia. En un artículo denominado "Scottish Charms and Amulets" publicado en las actas de la Sociedad de Anticuarios de Escocia el 8 de mayo de 1893, George F. Black describe las muchas aplicaciones que se les daba a esos elementos. En algunos casos eran solo decorativas, pero también se creía que algunas de ellas curaban las enfermedades del ganado, y el agua donde se las sumergía tenía una gran demanda para rociarla luego sobre las manadas. Muchos clanes de las tierras altas tenían bolas de cristal que colgaban de sus estandartes. Las llamaban «bolas de fortaleza» o «bolas de victoria».

> Aunque las culturas antiguas veneraban los cristales, se cree que el tallado del cuarzo en forma de calavera es peculiar de América Central y el Himalaya. La iconografía de las calaveras se utiliza con frecuencia en el budismo tibetano, el tantra hindú y entre los aztecas, mixtecos y mayas. Es posible que también se utilizara entre los olmecas, quienes precedieron a todas estas culturas mesoamericanas.

De hecho, la idea de que las calaveras de cristal están vinculadas a poderosos rituales tántricos hindúes y budistas parece estar bien fundada. Se dice que los monjes budistas e hinduistas miran con fijeza calaveras de cristal como parte de su meditación. La iconografía de las calaveras está muy extendida en el arte tibetano e hindú, y hay muchas representaciones de dioses que llevan collares, tocados y cinturones con calaveras en esculturas y pinturas *thangka*. Los collares se asocian en particular con Shivá, el dios creador y destructor y su irascible consorte Kali, a quien generalmente se la representa llevando uno alrededor del cuello. Los devotos de estos dos dioses aún usan estos collares en la actualidad, los que casi siempre están hechos con pequeñas calaveras talladas en huesos humanos o animales. El uso de abalorios con forma de calaveras en rosarios es común en Nepal, donde las cuentas a menudo sen tallan en huesos de yak.

Los monjes tibetanos utilizaban calaveras humanas reales para hacer tambores sagrados y también copas llamadas *kapala*. Existían reglas escritas precisas acerca de cómo debían prepararse las calaveras para utilizarlas como vasos sagrados, y una vez santificadas se las usaba en diversas ceremonias. Una de las prácticas consistía en calentar dentro de las mismas elementos comunes de la vida cotidiana para mostrar de manera simbólica que la vida y la muerte humanas eran efímeras y que era mejor enfocarse en la iluminación espiritual.

En cuanto a estas calaveras del Himalaya y tibetanas, también las hay de jade, talladas en su totalidad en esta dura y valiosa piedra verde. Asimismo se hallaron esqueletos completos, íntegramente tallados en jade, supuestamente de Mongolia o de Tíbet, los que recibieron una gran dosis de publicidad en la Internet y en conferencias sobre piedras preciosas.

Un sitio de Internet (www.greatdreams.com) afirma que entre los años 2000 y 2001 «se halló una cantidad de calaveras de cristal en algunas cuevas en montañas remotas. Demandó dos años recuperar veintidós antiguas calaveras de cristal, conocidas en conjunto como "las calaveras de Pekín", las que es posible que estén vinculadas a los dropa». Los dropa son extraterrestres de muy pequeño tamaño que se supone descendieron del espacio cuando su nave se estrelló en una remota área montañosa en la frontera entre China y Tíbet. Allí vivieron en cuevas y se dijo que se hallaron tumbas con sus extraños esqueletos y con ciertos discos que se presume contienen información codificada. No se supo mucho más sobre estas calaveras chinas de cristal, y todas las afirmaciones acerca de los dropa parecen requieren aún de mucha más investigación y verificación.

Richard Garvin, autor de *The Cristal Skull* (1973), libro que trata acerca de la investigación que Frank Dorland hizo sobre la calavera de cristal de Mitchell-Hedges, cita a Dorland:

> Es evidente que el culto a las calaveras o al menos su adoración fue en el pasado una práctica mundial entre los pueblos antiguos», afirma Dorland. «Desde las islas del Pacífico hasta el Tíbet, desde Egipto hasta México, la adoración de calaveras se halla en cada rincón del globo. Y parece ser que todas estas prácticas las tuvieron en muy alta estima. Fue objeto de culto, adorada, conservada y venerada. La calavera como símbolo de una fea y truculenta cabeza de muerto parece ser más propia de los últimos 1500 años.

Pero en ninguna otra parte del mundo la calavera tuvo una importancia mayor que en las culturas —tanto moderna como prehispánica— de América Central. En estas culturas, este motivo aparece en una sorprendente variedad de formas. Por ejemplo, el centro del calendario azteca es un rostro descarnado; el dios azteca Xólotl, mellizo de Quetzalcóatl, tenía por cara una calavera; los náhuas hacían incrustaciones de mosaicos con calaveras y estas eran un motivo importante en los trabajos en oro de los mixtecos.

El motivo de la calavera es omnipresente en Mesoamérica, donde aparece en edificios como un elemento arquitectónico, en cerámicas, en esculturas, en artesanías y en pinturas. Una de las formas de arte más frecuente en esa región eran las máscaras. Estas se usaban en ceremonias religiosas y también como elementos decorativos, y la calavera era un motivo común. En particular eran muy populares las representaciones en las que la mitad de la cabeza tenía aspecto de calavera, y la otra mitad, la cara de un ser vivo. El Museo Británico tiene en su colección una máscara mexicana hecha con una calavera humana verdadera a la que llaman la «Máscara Turquesa de Oaxaca». El frente de la calavera está cubierto de mosaicos de turquesa y de lignito y la parte trasera se separó y se forró en piel. La mandíbula es móvil y está unida a la piel mediante una bisagra.

Una interesante nota al margen es que esta máscara sirvió de inspiración al popular artista británico Damien Hirst, quien en 2007 produjo la pieza de arte moderno más costosa jamás realizada. Se trata de una calavera humana real del siglo XVIII que adquirió en Londres y cubrió con 8601 diamantes finos. La pieza central es un diamante rosado con forma de pera colocado en la frente. Se espera que la obra se llegue a vender en cien millones de dólares. Esta reluciente pieza es un interesante giro del concepto «calavera de cristal».

La fascinación mesoamericana por las calaveras persiste en la actualidad y su más famosa expresión se halla en el Día de los Muertos. Desde la imposición del cristianismo, esta celebración tiene lugar el Día de Todos los Santos, el 1 de noviembre, pero ya en el tiempo de la conquista se vio que los aztecas tenían varias fiestas de los difuntos. Estas celebraciones se hacían en forma muy parecida a la festividad actual, en la que se ofrecen guirnaldas de flores, chocolate, frutas, dulces y otros alimentos a los ancestros familiares. Hoy en día a menudo se realizan excursiones a los cementerios y los niños reciben pequeñas calaveras de dulce para comer.

Las culturas mesoamericanas al parecer veían a la muerte como una parte natural del ciclo vital, como algo a lo que no se debía temer particularmente. El uso de las calaveras era solo un recordatorio del gran plan cósmico. El sitio mexicolore.com.uk cita un verso del poeta azteca Netzahualcóyotl que dice:

> Aunque sea de jade se quiebra,
>
> aunque sea de oro se rompe,
>
> aunque sea plumaje de quetzal se desgarra.
>
> No para siempre en la tierra:
>
> solo un poco aquí.

Los aztecas creían en trece cielos y nueve niveles de infierno. La forma en que la persona moría establecía adónde iba su alma en el más allá, pero las almas en todos los niveles tenían obligaciones que cumplir para mantener la continuidad de la vida sobre la Tierra: ayudar a provocar la lluvia, proveer semillas para nuevas cosechas, curar enfermedades, etc.

De manera que podemos ver que la temática de las calaveras estaba muy enraizada en las culturas de Mesoamérica, pero ¿Qué hay de las calaveras de cristal propiamente dichas? ¿Quién las hizo y por qué? (sin mencionar ¿cómo?).

Diversas leyendas atribuidas a varias culturas indoamericanas pretenden responder a estas preguntas. La más popular de estas dice que existen trece calaveras de cristal de tamaño real que forman cierta clase de conjunto especial que se activará cuando estén todas juntas — algo así como reunir todas las piezas de un sofisticado ordenador. Una versión de esta historia dice que las trece calaveras fueron fabricadas por una sociedad avanzada que vivió en el interior de la Tierra y que contienen información sobre la historia de esa raza, su relación con la nuestra y nuestro futuro. Las calaveras se repartieron por todo el mundo, para que fuesen halladas y reunidas en una fecha posterior. Algunos afirman que esta raza era de origen extraterrestre.

Otra versión de la leyenda se origina en la historia maya quiché de la creación, el libro llamado Popol Vuh. Según este relato, un chamán maya ocultó las trece calaveras en tiempos remotos para que fueran redescubiertas en una época de gran necesidad. Contienen información vital acerca del origen de la raza humana, el verdadero propósito de nuestra creación y nuestro destino. Cuando estemos preparados para recibir ese conocimiento se hallarán las calaveras y se las decodificará, lo que habrá de facilitar el progreso de la humanidad.

Los autores del libro *Mistery of the Cristal Skulls Revealed* (1988), sostienen que las trece calaveras forman un conjunto y que en algún momento se las conservó debajo del palacio de Potala en el Tíbet. Sin embargo, su creación tuvo lugar en la Atlántida y se las utilizó en los Trece Templos de Sanación de la Atlántida. Estos investigadores creen que muchas de las calaveras de cristal que se conocen en la actualidad tienen entre 10.000 y 30.000 años. Una de las edades que se atribuye a la calavera Mitchell-Hedges es de 17.000 años.

Según estos autores, muchas calaveras de cristal se usaron en sacrificios humanos, razón por la que se «pervirtieron»; sin embargo, piensan que otras escaparon a ese terrible destino. Hay acuerdo entre los autores acerca de que las diferentes calaveras son de naturaleza extraterrestre. La mayor parte del material de su obra les llegó a través de médiums en estado de trance, por lo que es bastante sospechoso. Debido a la información que recibieron por medio de estos canales, los autores creen que «muchas de las calaveras de cristal se trajeron o se proyectaron aquí desde otras partes de nuestra galaxia… algunos de los ejemplares que conocemos se crearon en la Tierra, pero son copia de las trece originales, algunas de las cuales aún pueden estar en el Tíbet».

Cómo mencionamos anteriormente, varias calaveras de cristal se encuentran en exhibición en museos en toda Mesoamérica. En general, estas son los ejemplos más pequeños de la variedad artística. Las más grandes comenzaron a aparecer a mediados del siglo XIX y se atribuyen en general a los aztecas. Aquí debe tomarse en cuenta que hay pruebas de que al menos dos de las grandes calaveras de cristal —incluida la que estaba en exhibición en el Museo Británico como un artefacto azteca— eran falsas, talladas en una época muy posterior. En cuanto al origen de algunas otras, es todavía muy dudoso. Su belleza y su perfección dan alas a la romántica noción de que pudo haberlas tallado alguna civilización extraterrestre o de la Atlántida, de gran desarrollo tecnológico.

Mientras que se dice que muchas de las calaveras de cristal halladas en América Central son aztecas, debemos recordar que estos (también llamados *méxicas*) son una civilización relativamente reciente en América Central. Se cree que llegaron desde el norte en algún momento alrededor del año 1248. Cerca de trescientos años más tarde, en 1519, arribaron los españoles y conquistaron a los aztecas en 1521.

Si bien muchos miembros de la realeza y sacerdotes aztecas poseyeron calaveras de cristal, estas pueden haber provenido de culturas anteriores y podrían tener cientos y hasta miles de años de antigüedad. El cristal de cuarzo es casi indestructible, y los objetos de cristal en general pasan de mano en mano durante muchas generaciones hasta que se pierden o caen en manos de ladrones. Con cierto esfuerzo, una calavera de cristal puede reducirse a miles de pequeños fragmentos a fuerza de golpes, pero es muy probable que esto no haya ocurrido con frecuencia dado el alto valor de ese objeto y la dificultad para realizar semejante tarea.

De hecho, una de las grandes preguntas acerca de los aztecas y sus calaveras de cristal es si ellos tenían la tecnología y la habilidad requeridas para el tallado y el pulido de estas piezas (al menos, de las de mayor tamaño). Esta es una de las razones por las que se postula que se debieron hacer en la Atlántida: se requiere una civilización con alta tecnología y herramientas avanzadas para hacer dichos objetos. También se utiliza un argumento similar para sugerir que las calaveras de cristal deben ser fruto del trabajo de seres extraterrestres: simplemente no pueden haber sido hechas por antiguas sociedades —supuestamente primitivas— tales como los aztecas, mayas, mixtecos, zapotecas u olmecas.

A esta altura es necesario tener un panorama general de estas culturas. En mi referencia inmediata anterior las he listado en orden descendiente según su época de prevalencia en Mesoamérica, siendo los aztecas los más recientes y los olmecas los más antiguos. Como en todas las designaciones antropológicas, los límites de su hegemonía son de algún modo arbitrarios; las culturas pueden haberse superpuesto, y los sitios utilizados inicialmente por unos muy bien pueden haber sido conquistados y utilizados por otros luego. Incluso, los descendientes de un pueblo avasallado pudieron mantener algo de sus conocimientos y artes en un nuevo ambiente.

Ya aclarado ese punto, mucho más al sur del territorio azteca estaba el de los mixtecos. Está en duda si alguna vez fueron conquistados por los aztecas, pero es sabido que comerciaban con ellos. La mixteca es una cultura anterior a la azteca, que se cree que desciende de la cultura mesoamericana más antigua, los olmecas. Los mixtecos utilizaban el motivo de la calavera, y es posible que algunas calaveras supuestamente aztecas hayan sido producto de un intercambio con los mixtecos. La cultura mixteca se puede remontar hasta el año 500 a.C., o aun antes.

Antes que los mixtecos estuvieron los zapotecas —quienes también vivieron al sur de los aztecas en el área de Oaxaca—, a los que se reconoce como excelentes artesanos y constructores. Se creía que la escritura zapoteca se remonta al año 500 a.C. y que fue la base para la forma más antigua de escritura de Mesoamérica. Ahora se considera que la escritura zapoteca deriva de los primeros jeroglíficos olmecas y epiolmecas. Entre los impresionantes sitios zapotecas se encuentra Monte Albán, una montaña cuya cumbre fue cortada para permitir la construcción de una ciudad megalítica, y Mitla, otro lugar megalítico.

En lo que respecta al origen de los zapotecas, la versión en inglés de Wikipedia, la enciclopedia en línea, brinda esta curiosa información: «Los zapotecas cuentan que sus ancestros emergieron de la tierra, de cuevas, o que a partir de árboles o de jaguares se convirtieron en seres humanos, mientras que la elite que los gobernaba se consideraba descendiente de seres sobrenaturales que vivían en las nubes y creía que al morir volverían a ese estado. De hecho, el nombre con que se los conoce en la actualidad es el resultado de esa creencia».

Se cree que los zapotecas, al igual que los aztecas y los mayas, realizaban sacrificios humanos, y el motivo de la calavera a menudo se asocia con esta costumbre. De cualquier modo, no se sabe si el origen de las calaveras de cristal tiene algo que ver con los sacrificios humanos y su horrenda simbología.

Los artesanos zapotecas y mixtecos residían en la capital azteca de Tenochtitlán y se los conocía por sus trabajos en joyería y piedras. Muchas de las calaveras de cristal pueden haber sido realizadas por ellos.

En Yucatán, Guatemala, Chiapas y más al sur, los mayas gobernaron durante miles de años y todavía viven en estas áreas en la actualidad. Se cree que las comunidades mayas más antiguas comenzaron en la región de Soconusco en la costa del Pacífico alrededor del año 1800 a.C., si bien es posible que, originalmente, dichas comunidades hayan sido olmecas y no mayas.

Se estima que la cultura maya floreció entre el año 1000 a. C y el 200 d. C, pero poco es lo que se sabe de ese periodo. Por lo general la civilización maya clásica se ubica entre los años 250 y 900 d.C., momento en que tuvo lugar un súbito colapso de la civilización y cientos de ciudades en las junglas de Petén en el norte de Guatemala y en la región de Yucatán en México quedaron abandonadas. Los mayas continuaron viviendo en las montañas de Guatemala y en zonas remotas a lo largo del río Usumacinta, al igual que en lugares costeros lejanos en Belice, Quintana Roo y Honduras.

Si bien los mayas fueron grandes constructores, existe la creencia generalizada de que no poseían medios de transporte basados en la rueda (tales como carretas o carretillas), poleas y ni siquiera herramientas de metal. Estas eran de obsidiana, jade, pedernal o basalto y las utilizaban como martillos, hachas, azuelas, taladros, o herramientas de desbastar y cosas por el estilo.

A pesar de ello los mayas pudieron construir una amplia serie de pirámides, plazas, cisternas y caminos. Utilizaban una forma de cemento hecho con estuco de piedra caliza que se esparcía sobre los bloques de piedra y después, con frecuencia, se pintaba de colores vivos.

Ahora, si los mayas no poseían herramientas de metal y otras formas básicas de tecnología, ¿podrían haber sido capaces de tallar y pulir un material tan duro y difícil de trabajar como el cristal de cuarzo? ¿Qué herramientas y de qué material pueden haber usado los mayas? Si tenían calaveras de cristal, ¿las habrían hecho ellos mismos, o provendrían de alguna otra civilización, tales como las más antiguas y más avanzadas culturas olmeca y zapoteca?

Esto nos lleva a los olmecas. En mi libro *The Mystery of the Olmecs*, sostengo que ellos no eran únicamente la cultura más antigua de Mesoamérica, sino que eran también la más avanzada. En esencia, la civilización fue decayendo desde la época de los olmecas hasta el periodo de los aztecas, justo antes de la conquista española.

Las calaveras de cristal ¿pertenecen en realidad al periodo olmeca, al que se define aproximadamente entre los años 1300 y 200 a.C.? Los olmecas no solo extrajeron y esculpieron grandes macizos de basalto de veinte toneladas de peso, transformándolos en cabezas colosales trabajadas con refinamiento (muchas de las cuales muestran rasgos negroides, lo cual en sí mismo es objeto de controversia) sino que también poseían herramientas de hierro con las cuales hacían sus excelentes obras.

En resumen, los olmecas al parecer tenían la tecnología para hacer calaveras de cristal de tamaño real, mientras que los posteriores mayas y aztecas en apariencia no poseían las herramientas para hacer objetos de esa clase. Los zapotecas y mixtecos de Oaxaca y del sur de México heredaron su habilidad de los olmecas y pueden haber sido los últimos de esta casta de expertos lapidarios.

Nadie sabe de donde vinieron los olmecas, pero las dos teorías predominantes son:

1. Eran nativos americanos, derivados del mismo grupo siberiano del que procede la mayoría del resto de los americanos nativos, en quienes se acentuó el material negroide que estaba latente en sus genes.

2. Eran forasteros que inmigraron al área de Olman por vía marítima, probablemente como marineros o pasajeros de viajes transoceánicos que es posible que hayan tenido lugar a lo largo de cientos de años.

Los olmecas tenían numerosos similitudes curiosas con los mayas y otras culturas lejanas, tales como su atracción por el jade y las plumas exóticas, el uso de setas alucinógenas y otras drogas psicodélicas y la inscripción de jeroglíficos sobre estelas de piedras como hitos.

En su libro *The Olmecs: America's First Civilization*, Richard Diehl dice lo siguiente acerca de los artefactos que se hallaron en el sepulcro olmeca de Tlatilco:

Una mujer de clase alta yacía junto a 15 vasijas, 20 estatuillas de arcilla, 2 trozos de jade verde brillante pintado de rojo que podrían haber formado parte de un brazalete, una placa de hematita cristalina, un fragmento óseo con restos de pintura, y varias rocas. En otra sepultura se hallaron los restos de un hombre cuyo cráneo había sido modificado deliberadamente en la infancia y con los dientes recortados con diseños geométricos en la adultez. Podría tratarse de un chamán ya que los objetos ubicados a su lado parecían elementos relacionados con el uso de sus poderes. Entre ellos había pequeños metates para triturar hongos alucinógenos, efigies de arcilla con forma de hongos, cuarzo, grafito, resina y otros artículos exóticos que podrían haber sido utilizados en rituales de curación.

Los cristales de cuarzo y las setas psicodélicas formaban parte del conjunto de elementos que usaban los antiguos chamanes olmecas, y a este lo sepultaron con ellos. ¿Se habrá enterrado a algunos chamanes olmecas con sus calaveras de cristal? Se han hallado tan pocas tumbas olmecas que aún no lo sabemos.

Parece probable que las calaveras de cristal y su uso en rituales mágicos ya hubiesen comenzado para esa época. Para estas calaveras, casi indestructibles —excepto mediante fuertes golpes—, no pueden establecerse una datación certera. Solo el estilo del tallado o el descubrimiento de un escondite secreto de estas cuyo origen y fecha pueda determinarse con precisión puede ayudar a establecer su edad. Aun así, si se hallaran y se dataran sitios con calaveras de cristal, eso no significaría que las calaveras se crearon en la misma época que el sitio —en realidad podrían ser cientos de años más antiguas y haber cambiado de manos durante generaciones.

Un ejemplo de escultura en piedra verde que se puede clasificar como un objeto de lujo, de acuerdo con la descripción de Pool, es la importante estatuilla de Tuxtla descubierta en 1902 por un granjero mientras araba su campo en las cercanías de La Mojarra, en la falda oeste de las montañas de Tuxtla en el estado de Veracruz —las montañas de Tuxtla son también donde se encuentra la cantera de la que se obtuvo la materia prima de las famosas cabezas colosales. Debido a la escritura sobre ella, la estatua se vendió en el mercado negro y, según se afirma, se contrabandeó a Nueva York escondida en un cargamento de hojas de tabaco. El Instituto Smithsonian la adquirió poco tiempo después por una suma desconocida.

La estatuilla de Tuxtla es una pequeña pieza redondeada de 16 cm de altura de nefrita (una piedra verde similar al jade, aunque no tan dura) tallada, que representa a una persona retaca con pico y alas de pato. Tiene 75 jeroglíficos tallados en escritura epiolmeca. La estatuilla de Tuxtla es uno de los pocos ejemplos existentes de este sistema de escritura y, por lo tanto, es invalorable.

El rostro humano tallado en la piedra es calvo, parece tener ojos orientales y grandes orejeras redondas. El rasgo más llamativo es que, en lugar de boca, la estatuilla tiene un largo pico que le llega hasta el pecho. Este pico se identificó como el de la garza cucharera, un ave local que abunda a lo largo de Tabasco y la costa sur del Golfo de Veracruz. Las alas o capa de forma alada envuelven el cuerpo, y los pies están tallados en la base. A esta estatuilla bien se la podría llamar «olmeca alado con pico de pato». Con frecuencia a los olmecas se los representa volando, por lo que se los conoce típicamente como «olmecas voladores».

Quizás esto se deba al uso de setas psicodélicas por parte de ellos.

La estatuilla de Tuxtla actualmente se encuentra en Dumbarton Oaks, Washington DC, como parte de la colección del Smithsonian. Podríamos preguntarnos si la escritura en la misma es una suerte de encantamiento o sortilegio mágico. Otro artículo curioso en la colección del Smithsonian en Dumbarton Oaks es el pectoral de estilo izapa que presenta una figura sentada y un texto jeroglífico. Este pectoral maya quizá esté grabado con oraciones protectoras o algún otro tipo de conjuro mágico. ¿Fue la estatuilla de Tuxtla un talismán mágico que llevaba su propietario para que lo protegiese?

El maya y el epiolmeca pueden haberse separado en una época temprana, y ciertamente el sistema de escritura maya fue el que más perduró. Alrededor del año 200 a.C. existían al menos tres sistemas de escritura principales: el zapoteca, el epiolmeca y el maya. En el periodo Clásico de Mesoamérica (300 al 900 d.C.) había más sistemas de escritura, la mayoría de ellos derivados del zapoteca, tales como el teotihuacano, ñuiñe, xochicalco, mixteca, mixteca-puebla y azteca. Se admite generalmente que todos estos sistemas de escritura se pueden dividir en dos grupos: el del sudeste y el oaxacano. El grupo sudeste incluye las escrituras maya y epiolmeca.

Se demostró que la idea de que no había habido grandes cantidades de oro y otros tesoros a merced de los conquistadores era equivocada cuando en 1931 el arqueólogo mexicano doctor Alfonso Caso encontró la tumba intacta de un cacique mexicano en Monte Albán, al sur de Ciudad de México, la que contenía soberbios collares, orejeras y sortijas. Los historiadores se dieron cuenta de que el simple y honesto Bernal Díaz (quien acompañó a los primeros conquistadores e hizo la crónica de sus hallazgos en el Nuevo Mundo) se había quedado corto en sus descripciones y que Moctezuma debió en verdad tener un vasto acopio de tesoros de metal.

De manera que aquí comienza el misterio del tesoro azteca perdido, el cual puede haber incluido calaveras de cristal y otros objetos: los conquistadores lograron obtener una gran fortuna en oro y joyas de los aztecas, pero poco tiempo después no se halló más oro ni más joyas en tierra azteca. Por lo tanto ¿adónde fueron los tesoros aztecas? ¿Qué cosas, exactamente, había en esos tesoros? ¿Podría haber calaveras de cristal?

El enigma de las antiguas calaveras de cristal—quién las hizo y a qué época se remontan—es un misterio que se hace más profundo cuanto más lo estudiamos. Es posible que las calaveras de cristal de los aztecas sean reliquias más antiguas. Los mayas ¿hicieron calaveras de cristal? ¿Podrían haberlas hecho sin herramientas de metal?

El cristal de cuarzo es tan duro que sería muy difícil tallar cualquier clase de escritura en ellas. Hasta donde sé, aún no se halló ninguna que tenga alguna clase de escritura como la que vemos en la estatuilla de Tuxtla.

Parece ser que el tallado del cristal y el uso de las calaveras de este material se remontan a los olmecas y fueron luego transmitidos a los zapotecas, quienes también heredaron la lengua y la escritura olmecas. Aún en tiempos aztecas, el arte de hacer las calaveras de cristal puede haber sido celosamente guardado por los zapotecas.

Algunas preguntas que nos podemos hacer ahora serían: ¿Cuán comunes eran las calaveras de cristal en el antiguo México? ¿Hubo alguna de tamaño real? ¿Tenían los emperadores aztecas alguna clase de colección de calaveras de cristal al momento de la conquista? De ser así ¿qué pudo haber sucedido con ellas? Ahora que tenemos cierta comprensión del origen de las calaveras de cristal (por pequeña que sea) podemos estudiar la fascinante afirmación de que los antiguos —y modernos— emperadores de México tenían una colección secreta de estos objetos: calaveras de magia y poder.

# Apéndice 2

# La colección de calaveras de cristal mágicas de los emperadores mexicanos

¡Pobre México, tan lejos de Dios
y tan cerca de los Estados Unidos de Norte América!
Porfirio Díaz, presidente de México, (1876-1911).

¿Acaso los diferentes presidentes y emperadores de México mantuvieron en secreto un tesoro? El periodista y ocultista californiano Sibley S. Morrill sugirió precisamente eso en su libro *Ambrose Bierce, F. A. Mitchell-Hedges and the Crystal Skull*.

Morrill afirma que la calavera de cristal Mitchell-Hedges provino de una colección especial de estos y otros objetos que fueron pasando de mano en mano desde tiempos de los aztecas entre diferentes funcionarios mexicanos de alto rango, desde el tiempo de la conquista.

Morrill, un periodista y editor de Oakland, California, era colaborador del boletín de noticias *Jack London Newsletter* y escribió en los sesenta varios libros, entre ellos *The Texas Cannibals or Why Father Serra Came to California* (1964) y *The Trouble with Shakespeare* (1974), además de *Ambrose Bierce, F .A. Mitchell-Hedges and the Crystal Skull* (1972).

Morrill sentía fascinación por Ambrose Bierce, un periodista de San Francisco de comienzos de siglo. Después de algunos años de estudio y debido al renacimiento del interés por la calavera Mitchell-Hedges, decidió que la Revolución Mexicana de finales del siglo XIX y comienzos del XX, en la cual participaron Bierce y Mitchell-Hedges, provocó la dispersión de un número de antiguas calaveras de cristal que pertenecieron a los emperadores mexicanos.

Lo que es interesante en este punto es la noción, mantenida en secreto durante siglos, de que los matrimonios entre españoles y miembros de la aristocracia azteca y zapoteca del antiguo México permitieron a los emperadores mexicanos atesorar antiguos objetos valiosos. El hecho de que objetos sagrados tales como las calaveras de cristal formasen parte de ese tesoro presidencial secreto es perfectamente concebible. Al parecer, las más pequeñas eran muy comunes en el mundo azteca, pero, ¿cuán abundantes eran las más grandes?

Dicen Morton y Thomas en *The Mystery of the Crystal Skulls* (en español, «El misterio de las calaveras de cristal»): «al parecer era un rumor muy extendido a finales del siglo XIX que el presidente mexicano, a la sazón Porfirio Díaz, poseía un tesoro en un escondite secreto que se pensaba incluía una o más calaveras de cristal. Se decía que estos tesoros habían sido traspasados por cada emperador al siguiente y que proporcionaban al poseedor los poderes necesarios para gobernar».

Dice Morrill acerca de la calavera Mitchell-Hedges en el capítulo IV de *Ambrose Bierce, F. A. Mitchell-Hedges and the Crystal Skull*:

> Existen, por supuesto, varias historias acerca de cómo se halló la calavera de cristal. Sin embargo, ninguna de ellas tiene relevancia alguna, excepto por el hecho de que Mitchell-Hedges siempre se rehusó a revelar la respuesta. Algunas versiones dicen que la encontró en un templo maya en una isla de la costa de Honduras. Otras sostienen que el templo estaba en tierra firme en Honduras, en México o en Honduras Británica. Y también hay otras que parecen originadas en la mente de Edgar Rice Burroughs y tienen tantos hechos que las respaldan como la historia de Tarzán de los

monos. [Al parecer, Morrill se refiere al libro de Mitchell-Hedges *The White Tiger*, que discutiremos en el próximo capítulo].

...Sin embargo existen ciertos datos importantes acerca de la vida del explorador que, cuando se los vincula con lo que se sabe de la vida de otras personas y los hechos de la época en la que vivieron, tienen una considerable relación con el tema.

A este respecto es importante saber que algunos altos funcionarios del gobierno mexicano tienen la opinión extraoficial de que Mitchell-Hedges obtuvo la calavera en México y que, al igual que sucedió con otros miles de objetos —incluyendo una cantidad no especificada durante los años sesenta— se la sacó del país en forma ilegal.

Existe una justificación para esta creencia, sin olvidar el indiscutible punto de que la calavera podría haber llegado a manos aztecas como consecuencia de la disolución del Nuevo Imperio Maya y la presencia azteca y de otras fuerzas mexicanas en Yucatán en ese tiempo.

Si bien esa justificación involucra algunas cosas en apariencia fantásticas, existe evidencia que la respalda. Dicha evidencia comprende una de las combinaciones de personas más inimaginable. Ellos son: J. W. Gates (apodado Apuesta un millón), James Keene el Zorro Plateado, Jules Bache y J. Pierpont Morgan, del lado de los peces gordos de Wall Street; Lord Duveen de Millbank, cuya posición en el mundo del arte debe describirse como única; el general Pancho Villa, el revolucionario mexicano; el mayor Ambrose Bierce, el famoso escritor y varios otros, uno de los cuales fue Lieb Bronstein, más tarde conocido como León Trotzky.

Gates, Keene, Bache y Morgan llegaron a involucrarse en la historia debido a que, cuando Mitchell-Hedges vino por primera vez a los Estados Unidos de Norteamérica en 1900, tuvo los contactos adecuados y la capacidad de utilizarlos a su favor. Su habilidad descansaba en un cierto tacto y una marcada destreza para el juego del póquer. Los detalles se encuentran en su autobiografía Danger my Ally (en español, «El peligro es mi aliado») y tienen sentido, al mismo tiempo que el libro proporciona una interesante lectura. Baste decir que en la primera ocasión en que se encontró con los miembros de este grupo, los impresionó profundamente al ganarles 26000 dólares de su dinero.

De manera que, al parecer, los funcionarios mexicanos realmente creen que alguna vez existió cierta colección de calaveras de cristal —y que estas se desperdigaron durante el largo periodo dictatorial del presidente Porfirio Díaz, quien gobernó México desde 1876 hasta 1911 (con una breve interrupción forzada entre 1880 y 1884).

Se dice que otras calaveras de cristal, además de la Mitchell-Hedges, provienen de esta supuesta colección, incluyendo una llamada «Ami». El sitio de Internet *bibliotecapleyades.net* dice sobre esta última, hecha de amatista: «Su historia es incierta; se supone que formaba parte de una colección de calaveras de cristal que poseyó el presidente mexicano Díaz entre 1876 y 1910, pero también tenemos información de que se la descubrió en la región de Oaxaca [en México] y que permaneció en poder de una orden de sacerdotes mayas que la fueron pasando de generación en generación. En la actualidad está en San José, California, en posesión de un grupo de hombres de negocios que la ofrecen en venta.»

De la misma manera, se dice que la calavera de cristal que se encuentra en el Instituto Smithsonian también provino de la colección de Porfirio Díaz. Se le entregó al Smithsonian en forma anónima con una nota que decía:

> Estimado señor, se dice que esta calavera de cristal azteca fue parte de la colección Porfirio Díaz; fue adquirida en la ciudad de México en 1960… La ofrezco al Smithsonian sin ninguna otra consideración. Naturalmente, deseo permanecer anónimo…

De esta se afirma a veces que es la más grande y la más fea de todas las calaveras de cristal. Pesa quince kilogramos. Está hecha de cristal de cuarzo nuboso y tiene una suave terminación, pero sus rasgos parecen haber sido tallados con crudeza.

Cuando el Museo Nacional de Historia Norteamericana Smithsonian trató de ubicar al donante, descubrieron que estaba muerto. De hecho, su abogado dijo que después de enviar la calavera al museo, su cliente se quitó la vida. Después que este adquirió la calavera su esposa falleció y su hijo tuvo un terrible accidente que lo dejó con muerte cerebral. Más tarde el hombre cayó en bancarrota.

Al comienzo, parte del personal creía que la calavera era una reliquia maldita. Más tarde se hicieron algunas pruebas en Londres sobre esta y otras dos calaveras de cristal propiedad del Museo Británico. Las pruebas fueron supervisadas por Jane Walsh, del Smithsonian, y determinaron que las tres se habían hecho utilizando herramientas modernas. Walsh dijo «Descubrimos que todas las calaveras de cristal fueron talladas con piedras de lapidar recubiertas que utilizan diamantes industriales y pulidas con maquinaria moderna.»

Pero, ¿puede ser que una calavera de cristal adquirida en México sea una falsificación moderna? Sí, por supuesto. ¿Puede una calavera de cristal que fue parte de la supuesta colección de Porfirio Díaz, ser, asimismo una falsificación moderna? Esto también es posible. Examinemos brevemente quién fue Porfirio Díaz.

Díaz era en parte mixteco, razón por la cual es probable que apreciase las calaveras de cristal y algunos otros motivos antiguos al igual que cualquier otro emperador o presidente mexicano. Nació el 15 de septiembre de 1830 en la ciudad de Oaxaca. Su padre, un modesto posadero en dicha ciudad, falleció cuando Porfirio tenía solo tres años. Su madre intentó mantener la posada funcionando, pero fracasó. Envió al niño a un seminario para que se convirtiese en sacerdote. Sin embargo, él se rebeló ante la autoridad de la Iglesia Católica y se unió al ejército.

Hombre de éxito en lo militar, Díaz ingresó al Instituto de Ciencias y Artes para estudiar leyes. Se destacó por apoyar a Benito Juárez y a los liberales en la Guerra de Reforma y en la lucha contra el emperador Maximiliano y los franceses durante el crucial periodo entre los años 1861 y 1867.

Se dice que la calavera del Museo Británico salió a la luz justo antes de la ocupación francesa que comenzó en 1862 y duró hasta 1864, y que finalmente fue adquirida en Tiffany's para el museo por sir John Evans de Minos, en 1897.

Díaz soñaba con proteger a su país de los Estados Unidos de Norteamérica y quería ser presidente de México. Fue derrotado por Benito Juárez en las elecciones de 1867 y 1871, y después de cada derrota encaró una revuelta fallida, diciendo que peleaba en contra de la poderosa influencia de los inversores extranjeros en México.

Perdió una vez más la carrera por la presidencia en 1876 y volvió a encabezar una revuelta en contra del gobierno. En esta oportunidad tuvo éxito y derrocó al presidente Sebastián Lerdo de Tejada. Se instaló como presidente en 1877 y en la práctica gobernó a México hasta 1911, cuando huyó a Francia. Falleció en 1915 y su sepultura se encuentra en el cementerio de Montparnasse, en París. Es interesante preguntarse si alguna de sus mágicas calaveras de cristal estará enterrada con él.

En los tiempos turbulentos de finales del siglo XIX, Díaz se vio obligado a dividir su considerable tesoro oculto que, en apariencia, incluía cierto número de calaveras de cristal. En Oaxaca, el estado natal de Díaz, se encontraron varios objetos curiosos de cristal en Monte Albán y uno de ellos, un vaso de la tumba número 7, fue sometido a pruebas por el Smithsonian a mediados de los noventa.

Oaxaca era un área donde ciertamente se podían hallar auténticos objetos de cristal antiguos. ¿Acaso Porfirio Díaz adquirió personalmente algunas de sus calaveras de cristal en Monte Albán u otras zonas de Oaxaca? ¿Habrán provenido las otras de colecciones más antiguas, conservadas por los diferentes emperadores de México?

Existe una leyenda popular que relaté con más detalle en anteriormente, según la cual se cree que existen trece calaveras de tamaño real las que, una vez reunidas, crearían una suerte de matriz de poder. Teniendo en cuenta cómo se transmiten las leyendas, podríamos preguntarnos si esta puede haber surgido de la posibilidad de que Porfirio Díaz tuviese trece calaveras como parte de su colección.

Sibley Morrill dice en esencia que las grandes calaveras de cristal como la Mitchell-Hedges y las de París y Londres formaron parte de la colección de Porfirio Díaz, la que incluía más calaveras además de estas tres. Poderosos marchantes de arte como lord Duveen de Millbank y ricos coleccionistas como J. P. Morgan y sus compañeros de póquer, eran todos parte de la ecuación de la compra —y posterior venta— de raros objetos de arte aztecas, mayas y mesoamericanos de colección, los que presumiblemente incluían calaveras de cristal.

A lord Duveen de Millbank se lo ha llamado el más influyente marchante de arte que jamás existió, habiendo provisto a los museos de Europa y de América con objetos elegidos con mucho cuidado por él mismo. Sus adquisiciones al parecer habrían comprendido algunas calaveras de cristal. Su socio Eugène Boban, un marchante francés que se especializaba en arte mexicano, era conocido por haber manejado cierto número de calaveras de cristal.

Boban trabajó desde Ciudad de México entre 1860 y 1880 y fue un marchante muy prolífico. Si bien era un personaje en cierta forma polémico, se sabe que advirtió a coleccionistas acerca de objetos precolombinos falsos. Tanto la calavera de cristal del Museo Británico como la de París pasaron por sus manos, al igual que un gran número de otras que se vendieron como piezas de origen azteca.

Curiosamente la investigación del Smithsonian indicó que es muy posible que la calavera de Londres haya sido fabricada en Idar-Oberstein, Alemania, a mediados del siglo XIX; otras fuentes afirman que se la creó en Austria más o menos en la misma época. Pruebas llevadas a cabo por el Museo Británico en 1996 confirmaron que la calavera fue tallada en tiempos modernos, y este hallazgo fue corroborado en forma oficial por el museo en 2005. Sin embargo, arqueólogos franceses sostienen todavía que la de París es auténticamente azteca.

¿Acaso Boban traficaba a sabiendas falsificaciones modernas de antiguas calaveras de cristal? ¿Fueron algunas de estas auténticos objetos precolombinos de México? ¿La demanda de calaveras de cristal era tan grande como para que tuviera que hacerlas fabricar para después venderlas a los museos? ¿Es posible que las calaveras alemanas hubiesen sido llevadas a México, donde fueron adquiridas por Boban y llevadas de nuevo a Europa (en este caso a París) para ser vendidas más tarde como auténticas calaveras de cristal aztecas?

Debemos preguntarnos si alguna de las calaveras alemanas fue parte de la supuesta colección de Porfirio Díaz. Es posible incluso que él mismo haya ordenado su fabricación. Curiosamente terminó en París, al igual que Eugène Boban, quien falleció en dicha ciudad en 1908.

La teoría de Morrill es que la calavera Mitchell-Hedges permaneció en México como parte del tesoro obtenido por Pancho Villa y otros revolucionarios que lucharon contra Díaz en los últimos años de su presidencia. Este tesoro se dividió para usarlo como paga a varios generales y gobernadores: fue el botín de los vencedores. Morrill piensa que Mitchell-Hedges y Ambrose Bierce compraron la calavera y luego la llevaron a Honduras Británica (actual Belice) y la guardaron en una caja fuerte de un banco en ese lugar.

Este autor cree que fueron a Inglaterra en 1914 y luego regresaron a Belice. Mitchell-Hedges se hizo cargo más tarde de la calavera de cristal y Bierce continuó con su actividad.

Se presume que este tesoro secreto formado por calaveras y otros objetos de cristal, del cual no existe ningún registro oficial, es la fuente de la mayor parte de las calaveras auténticas que se encuentran en la actualidad en museos y colecciones privadas en todo el mundo.

El libro de Morrill es único en cuanto a que es la culminación de su estudio sobre Ambrose Bierce, un periodista a quien él admiraba. Pero, ¿quién era Ambrose Bierce? ¿Cómo llegó a involucrarse con las calaveras de cristal?

Ambrose G. Bierce nació en Ohio en 1842. Sirvió para la Unión como oficial del ejército de los Estados Unidos de Norteamérica durante la Guerra Civil. Con posterioridad a la guerra se desempeñó como periodista y escritor y se radicó en San Francisco. Adquirió fama por su colección de historias de la guerra civil, entre los que estaba el todavía renombrado cuento *Un suceso en el puente sobre el río Owl*. Más tarde escribió *El diccionario del diablo*, un libro de definiciones satíricas y humorísticas. Se considera a Bierce uno de los escritores más importantes de su tiempo, a quien en ocasiones se comparó con Mark Twain. Según él mismo admitía, se sentía fascinado por lo oculto.

Bierce fue el tema central de la película *Gringo viejo*, producida por Fonda Films Company, donde Gregory Peck hizo el papel de Bierce. Este continúa fascinando a la gente hoy en día y es un personaje en la mitología de San Francisco, todo porque desapareció de pronto en el norte de México donde se hallaba junto a Pancho Villa y, según afirma Morrill, a Mike Mitchell-Hedges.

Bierce vivió en San Francisco por más de treinta años, donde se desempeñó como un periodista y columnista bien pago del conglomerado de periódicos de Hearst. Se cree que a Bierce no le agradaba Hearst pero estaba de acuerdo con algunas de sus políticas y, en esencia, era el periodista y representante de Hearst en Washington DC y en Nueva York, donde escribía historias favorables a los puntos de vista de su patrón.

De pronto, en 1913, anunció desde Washington DC que se iba a México, un país en la agonía de la revolución, para atravesar en diagonal la región norte y continuar después a Panamá. Recorrió sus antiguos campos de batalla de la guerra civil y después fue a Laredo y a El Paso, Texas, para llegar por fin a México. Extrañamente, se unió al ejército de Pancho Villa como observador en Ciudad Juárez y luego comenzó a cabalgar con el revolucionario.

Mike Mitchell-Hedges también se encontraba a la sazón cabalgando con Villa, según él mismo relata en su último libro, una biografía completa de su vida llamada *Danger my Ally.* Mitchell-Hedges dice que participó en las incursiones de Villa pero que en el fondo era su prisionero. Morrill señala que llama la atención que Mitchell-Hedges nunca mencionara a Ambrose Bierce como de la partida, lo que debía haberle parecido inusual. Ambrose Bierce sigue gozando de fama todavía hoy y definitivamente acompañó a Villa en el mismo momento que Mitchell-Hedges, pero luego, de pronto, desapareció.

La suya se considera una de las desapariciones de personas más misteriosas del siglo xx. Simplemente se esfumó a finales de 1913, y aun si Villa o alguien más lo hubiesen mandado fusilar, su muerte habría sido registrada por los observadores que viajaban junto al líder revolucionario, tales como Mike Mitchell-Hedges.

Hay un número de teorías acerca del destino de Bierce: que murió durante la batalla de Ojinaga, que fue fusilado por un escuadrón huerista en el poblado minero de Zacatecas o en otro pueblo de montaña llamado Sierra Mojada, que volvió a los Estados Unidos y murió en Texas, ¡o incluso que se suicidó de un disparo en el Gran Cañón, al ser ya un hombre viejo preparado para morir!

Todas estas teorías se plantearon en los diversos libros escritos acerca de Bierce, pero el de Morrill es único entre todos ellos.

Se sabe que Bierce llevaba al menos 2000 dólares en monedas de oro cuando se fue a México. Esta era una suma considerable en ese tiempo, y monedas de oro era lo que se necesitaba para abrirse camino a través de México durante aquellos días de turbulencia revolucionaria. Bierce y Mitchell-Hedges, y cualquier otro en ese escenario, estarían armados hasta los dientes. Podemos imaginarlos con dos pistolas, un rifle y abundante provisión de municiones, ya que no sería fácil obtenerlas en México. En pocas palabras, tíos como Ambrose Bierce y Mike Mitchell-Hedges eran la versión en la vida real de la película *Grupo Salvaje,* de turistas de comienzos del siglo

XX: andaban a la búsqueda de aventuras y de pasarla bien, jugar al póquer, mujeres salvajes ¡y revolución al estilo mexicano! Mejor era llevar algunas armas y municiones para participar de la fiesta, ¡y ellos lo hicieron!

Es una idea fascinante que los diferentes emperadores, presidentes y gobernadores de México hayan usado calaveras de cristal como oráculos e implementos de poder. En una nación sumergida en lo oculto, la brujería y la adoración de las calaveras, los presidentes de México, en particular el dictador Porfirio Díaz, pueden haber incluido a las calaveras de cristal en su arsenal de dominación. Se decía que estas calaveras mágicas ejercían el poder de la muerte y la aflicción sobre aquellos contra quienes fuesen usadas.

Es posible que Pancho Villa le haya contado esas historias a Mike Mitchell-Hedges durante sus correrías, creando de esta manera la historia de la «Calavera del Destino» que contó en la radio británica una y otra vez a finales de los cuarenta y comienzos de los cincuenta. Hay quienes creen que Mitchell-Hedges obtuvo el concepto de la Calavera del Destino de un hechicero del este de África a quien él menciona brevemente en su libro *Danger my Ally*.

Es una grandiosa escena para imaginar, tal vez una que un director de cine emprendedor aún por aparecer convierta en una película: Bierce y Mitchell-Hedges, Pancho Villa y algunos de sus amigos y también otros extranjeros jugando al póquer en una gran mesa con monedas de oro, objetos de plata y calaveras de cristal a su alrededor, utilizándolas para apostar. Con las armas también sobre la mesa … o, quizás, no exactamente allí.

Era una vida dura y violenta y a veces todos están apuntando sus armas, excepto tú. No era infrecuente caer bajo sospecha y ser de pronto ejecutado como espía. En el caso de Bierce, es posible que algunos bandidos hayan querido poner las manos sobre sus 2000 dólares, una fortuna para el México de aquella época. Según se dijo, Bierce estaba dispuesto a morir y es probable que hubiera escapado peleando, ya que nunca le faltaba la compañía de un arma. Como dijimos brevemente antes, uno de sus biógrafos llegó a afirmar que se abrió paso hacia el norte a través de la batalla de Ojinaga, llegó a Texas y fue hasta el Gran Cañón donde se quitó la vida. ¿No es extraño?

Todas las biografías de Bierce incluyen el muy controvertido episodio en el que mató a un huerista en 1913 para demostrarle a Pancho Villa su lealtad. En una de sus últimas cartas dirigidas a amigos y familiares, Bierce admitió haber disparado contra el prisionero, al estilo de un pelotón de fusilamiento, delante de Villa. Naturalmente, sus familiares y amigos quedaron pasmados de que él ejecutara de esa manera a alguien a quien no conocía.

Después de eso, Ambrose Bierce desapareció y se dice que nunca más se supo de él. Según sus biógrafos, sin embargo, se supone que envió varias cartas a su hija en Illinois en las que decía que estaba en Inglaterra con lord Kitchener; en relación con esto, se publicó un artículo en la edición del 9 de marzo de 1915 del *Oakland Tribune*.

¿Es posible que Ambrose Bierce y Mitchell-Hedges cabalgaran con Villa durante un tiempo, terminaran comprando la famosa calavera de cristal Mitchell-Hedges por 1000 dólares en oro (o una suma parecida) —o incluso que la hayan ganado en una partida de póquer— y luego se fuesen al interior de México en camino a Honduras Británica? Bien pudo haber sido esto lo que sucedió.

Morrill cree que tanto Bierce como Mitchell-Hedges eran espías de los gobiernos de Estados Unidos de Norteamérica y de Gran Bretaña, enviados a México para ver qué estaba sucediendo durante esos años. Él dice que para esa época Gran Bretaña estaba cambiando el combustible de su flota de carbón a petróleo, y casi todo el petróleo para este fin provenía de México. Proteger los intereses petroleros británicos en México era de importancia capital, y a Morrill le pareció obvio que Mitchell-Hedges estuviese en una misión de espionaje para su país.

Si es verdad que Bierce desapareció y no se supo más nada acerca de él (excepto por las misteriosas cartas enviadas desde Gran

Bretaña y que su hija supuestamente destruyó), podemos al menos estar satisfechos de que Mitchell-Hedges no desapareció, sino que más tarde se lo vio en varios lugares como Inglaterra, Nueva York y Honduras Británica.

Mike Mitchell-Hedges se mantuvo llamativamente en silencio acerca de Bierce, si bien Morrill, quien visitó a Dorland y a Anna *Sammy* Mitchell-Hedges en San Francisco a finales de los sesenta dice que «Anna Mitchell-Hedges recuerda haber oído a su padre decir que creía que Bierce murió en Panamá».

Morrill no cree que Bierce haya llegado a Panamá. Él piensa que terminó en Honduras Británica y fue al llamado Triángulo de Yalbac a investigar las extrañas desapariciones que se decía que sucedían allí.

Uno de los amigos de Mike Mitchell-Hedges era el doctor Thomas Gann, un oficial médico y funcionario del gobierno de Honduras Británica. Gann trabajaba en varios proyectos arqueológicos allí, entre ellos las excavaciones en Lubaantún.

En su libro de 1925 *Mystery Cities* (en español, «Ciudades misteriosas»), Gann escribe acerca de sus propias experiencias en América Central, incluido un viaje a la región donde ocurrieron las misteriosas desapariciones. Esta zona está cerca de los poblados de Chorro y Yalbac, que son «algunos de los asentamientos indígenas en la selva más remotos, donde nunca o muy pocas veces se vio un hombre blanco». La razón para querer visitar estas poblaciones era que «los indios, en especial en las repúblicas americanas de origen español, toman todas las precauciones posibles para esconder sus caseríos, ocultándolos en las profundidades de la selva, donde son imposibles de hallar», y él quería ver cómo eran. Él atribuye el ocultamiento a una «subsistencia… del terror, una herencia de los días de la colonización española», y llega a la conclusión de que aunque «los indios de Honduras Británica no han recibido otra cosa que estímulos y trato amable de manos del gobierno local, los viejos instintos son muy persistentes».

Gann fue a visitar estos villorrios y no le resultó muy difícil ponerse en contacto con los indígenas de Chorro ni con los de Yalbac, unos veinte kilómetros más adentro. Su caminata en medio de la jungla transcurrió sin incidentes, a pesar de tener que atravesar una zona con «cierta reputación siniestra». El sector del triángulo, limitado de un lado por un río y los otros dos lados «por senderos muy transitados» era de tal naturaleza que «cualquiera que pudiese hallar su camino para entrar en él no debía tener la menor dificultad para salir, y a pesar de ello en un lapso de unos pocos años al menos tres personas desaparecieron en el mayor de los misterios y sin dejar rastros, y nunca más se volvió a saber de ellas».

El doctor Gann, quien no elaboró ninguna teoría acerca de las desapariciones, las describe como sigue en la versión abreviada de Morrill:

> La primera fue la de un tal Bernardino Coh, de 17 años, quien salió una mañana para visitar Yalbac con la intención de cazar alguna presa en el camino. Desayunó con un amigo en el pueblo de San Pedro, por donde debía pasar, y cuando partió fue la última ocasión en que fue visto. Tres días más tarde su familia y amigos, alarmados por su desaparición, comenzaron a buscarlo. A lo largo del sendero de San Pedro a Yalbac, «el ojo avizor de uno de los indios descubrió un lugar en el que alguien recientemente había abierto un paso desde el sendero hacia el interior de la selva». Siguiendo esta huella durante unos dos kilómetros, hallaron el morral del joven tirado en el suelo, todavía conteniendo sus municiones, el cuerno de pólvora, fósforos y un paquete de cigarrillos de farfolla de maíz. Más allá se podía seguir con facilidad el rastro, parecía como si el joven hubiese avanzado dando tumbos de un lado a otro, pisoteando las matas y rompiendo numerosas ramas pequeñas. De pronto se abría un claro como los que se ven a menudo en el bosque… La huella, hasta llegar al espacio abierto, era clara e inconfundible, pero no había ningún rastro de alguien que hubiese caminado sobre el pasto, donde siempre queda una marca característica… no había ninguna indicación de que alguien hubiese abandonado el claro, ningún signo de lucha y ninguna señal del muchacho.
>
> La siguiente desaparición fue la de un tal Bascombe, sargento de la policía de Cayo, «un hombre de proporciones hercúleas, capaz de vencer a tres hombres normales». Bascombe fue a Yalbac acompañado por un intérprete para arrestar a un delincuente. Este se enteró y escapó antes de que Bascombe llegase.

Al día siguiente el intérprete regresó de Yalbac temprano por la mañana, pero Bascombe decidió postergar su regreso hasta cerca del mediodía, con la esperanza de que su presa volviese. Al mediodía, Bascombe partió de Yalbac con tiempo suficiente como para llegar a Cayo antes de que oscureciera.

Cuando a la noche siguiente Bascombe aún no había aparecido, la policía comenzó a buscarlo con la ayuda de un numeroso grupo de indios. A un kilómetro y medio de camino desde Yalbac «se encontró una ancha huella por la que alguien montando una mula había abandonado el sendero para internarse en la selva. Este rastro se podía seguir con facilidad y unos cientos de metros más adelante se encontró a la mula de Bascombe amarrada a un árbol y paciendo con tranquilidad el sotobosque». Se siguió la huella de Bascombe desde donde había desmontado y se hallaron «su machete y cinturón de piel en el suelo. Un poco más allá, su revólver en su estuche de piel y por último el grueso uniforme de felpa que llevaba cuando fue visto por última vez. La huella continuaba un poco más adelante y luego, como en el caso de Bernardino, terminaba en un pequeño claro que no mostraba signos de lucha ni del hombre desaparecido y en el cual no se veía ningún otro rastro que se adentrase en el bosque. Se ofrecieron grandes recompensas», y un gran número de hombres rastrilló los campos de los alrededores, pero nunca más se halló nada.

El tercer caso era el del comisionado civil Rhys quien acompañó a una tropa dentro del área en búsqueda de una banda de indios icaiché quienes habían estado robando plantaciones de caoba del otro lado de la frontera. El pelotón fue atacado por los indios mientras se encontraba «detenido en un amplio paso abierto a través de la selva para trasladar la caoba hasta el río». Los icaiché pusieron a los soldados en fuga, matando a cinco de ellos e hiriendo a otros dieciséis. Pero «curiosamente, los indios no aprovecharon la oportunidad para perseguir a sus adversario vencidos, a los que podrían haber exterminado con facilidad; en lugar de ello se retiraron con tranquilidad, internándose en la selva en la dirección opuesta».

En cuanto al comisionado Rhys, nunca se lo volvió a ver. Los muertos y heridos fueron encontrados sin dificultad después de que la tropa se reagrupó y retornó al lugar. Pero no pudieron hallar nada que indicase el destino del comisionado más allá del hecho de que no había ninguna señal de que hubiese sido capturado por los icaiché.

Si bien cuando llegó al lugar el doctor Gann no halló nada en Yalbac que entrase en la categoría de lo misterioso, se topó con algo que podría haberlo sido si su mente hubiese estado más abierta a ciertas posibilidades. En la tarde de su llegada un indio le informó acerca de una cueva por él descubierta donde encontró algunas antiguas vasijas de cerámica. Al día siguiente —y contrariando los deseos del jefe de la comunidad— el médico partió al amanecer para investigarlo. Después de atravesar diez kilómetros de selva espesa, él y el indio encontraron unos «acantilados escarpados de piedra caliza sin vegetación, de unos quince a treinta metros de altura». En el frente de uno de ellos vieron una abertura a unos seis metros de altura desde el suelo. Treparon y entraron en ella.

«El piso de la cueva era al comienzo plano, cubierto con un duro depósito calcáreo que había goteado del techo… Mientras arrancaba fragmentos del depósito con golpes de mi machete, descubrí tres pequeños abalorios pulidos de verde jade». Próximos a una gran roca hallaron dos bultos de estacas de pino. Gann decidió que estaban allí desde hacía siglos, pero como se encontraban en buenas condiciones encendió una y comenzó a explorar.

«El pasaje era estrecho y llano por una distancia considerable, pero de pronto el suelo entró en una pendiente y encontramos el paso bloqueado por una pequeña laguna de agua completamente clara. La rodeamos caminando sobre unas rocas elevadas y llegamos a una pared de piedra de alrededor de un metro y medio de altura, tras la cual entramos en otro pasaje». En este hallaron una gran cantidad de piezas de cerámica y los condujo dentro de «una gran caverna de roca, cuyo tamaño y forma exactos no pudimos determinar, ya que la luz de la antorcha no era suficiente».

Había otros pasajes que desembocaban en esa caverna, y antes de que se consumiera la última antorcha Gann notó que «el extremo de una de las estalagmitas existentes allí había sido tallado de manera burda en forma de cabeza humana, y frente a ella se encontraba un bloque de piedra de forma más o menos cúbica que pudo haber servido como altar».

A poco de haber salido Gann de la cueva, un indio lo alcanzó con el mensaje de que su presencia era necesaria inmediatamente en Yalbac debido a que había ocurrido un accidente grave. «Cómo logró seguirnos a lo largo de diez kilómetros de selva y suelo rocoso donde, a la luz de mis ojos inexpertos no habíamos dejado una huella, me resultó inexplicable, pero lo hizo y, además, lo hizo rápido».

Gann regresó en otra oportunidad para ver de nuevo la cueva, pero no dio ninguna indicación de que hubiese explorado los pasajes que se abrían desde la gran caverna. Y tampoco dijo si alguna vez llegó a otra cueva cuya entrada había divisado a la distancia en el acantilado de piedra caliza durante su primera visita, lo que daría el indicio de que no obtuvo cooperación de parte de los nativos.

Todo esto sugiere que los indios lo tenían bajo una cuidadosa vigilancia y, al determinar que en definitiva su principal interés estaba en Lubaantún, pensaron que era mejor permitirle hacer su inocente inspección y luego dejarlo partir. En pocas palabras, se ocuparon de que él no encontrase nada del orden de lo que Coh y Bascombe habían visto y por lo tanto no hubo ninguna razón para hacerlo desaparecer de la civilización.

Porque la única explicación razonable de por qué Bernardino Coh, el sargento Bascombe y el comisionado Rhys desaparecieron, es que vieron algo que no debían haber visto.

Aquello que vieron Coh y Bascombe era de tal naturaleza que los impulsó a dejar el sendero para investigar, y es muy posible que lo mismo sucediese con Rhys. En cuanto a qué es lo que vieron, simplemente no hay manera de saberlo.

Sin embargo, parece posible que sea lo que fuese lo que impulsó a los hombres desaparecidos a dejar el sendero y a internarse en la jungla hasta el claro en donde desaparecieron, de alguna manera se vincula con las cien mil calaveras que tanto impresionaron a Bernal Díaz del Castillo aquel día en Zocotlán, a la calavera de cristal misma y por lo tanto a Bierce, según nuestra hipótesis.

En el final de su cita Morrill se refiere a la historia narrada por Bernal Díaz del Castillo, quien acompañó a Hernán Cortés durante su conquista y escribió acerca de ello en su libro *Historia verdadera de la conquista de la Nueva España*. En el capítulo 2, *La marcha hacia el interior*, Díaz del Castillo describe haber visto pilas de calaveras amontonadas en Zocotlán (o Xocotlán): «Acuérdome que tenía en una plaza, adonde estaban unos adoratorios, puestos tantos rimeros de calaveras de muertos, que se podían contar, según el concierto como estaban puestas, que al parecer que serían más de cien mil, y digo otra vez sobre cien mil.»

En su obra, Morrill llega finalmente a la extravagante conclusión de que alguna suerte de arpía, bruja, chupacabras o similar fue en cierta forma responsable de las desapariciones en Belice, incluso de la de Bierce. Morrill ya había escrito un libro sobre la vida del padre Junípero Serra, un sacerdote católico romano de México, que fue uno de los primeros misioneros en California.

Según Morrill, el padre Serra formó parte de la Inquisición en Ciudad de México y el 1 de septiembre de 1752 escribió lo siguiente sobre un caso de brujería:

> Tengo conocimiento de diversas indicaciones graves de que en el distrito de esta misión mía y en sus alrededores hay varias personas conocidas como «gente de razón», es decir que no son indios, que son adictos a los crímenes más horribles y detestables de la brujería, la hechicería y la adoración del demonio y que están en alianza con estos [los demonios] y otros, investigación de lo cual corresponde a vuestro Venerable Tribunal de la Inquisición. Y si es necesario especificar una de las personas culpable de tales crímenes, acuso por su nombre a una tal Melchora de los Reyes Acesta, habitante de dicha misión, en contra de quien nosotros, los ministros, tenemos acusaciones... Con respecto a esto, en los últimos días una tal Cayetana, una mujer mexicana muy inteligente... confesó —después de haber sido vigilada y acusada de crímenes similares y mantenida bajo arresto por nosotros por unos días— que en la misión hay una gran congregación de las mencionadas «personas de razón» que, por lo tanto no son indios, si bien algunos de estos se les unen, y que estas personas que no son indios vuelan por el aire durante la noche y tienen el hábito de reunirse en una cueva en una montaña cerca de una finca llamada El Saucillo, en el centro de dicha misión, donde adoran

y hacen sacrificios a los demonios que se presentan ante ellos bajo la forma de cabras y varias otras cosas de esa naturaleza.

Morrill, en conocimiento de que Bierce tenía un fuerte interés en los sucesos extraños y por lo oculto, tal como brujas voladoras y desapariciones misteriosas, dice más adelante:

La razón por la que citamos este informe del padre Serra es en gran parte por las referencias a personas que «vuelan por el aire» y que usaron cuevas, practicaban la brujería, algunas de los cuales eran indios pero la mayoría eran «gente de razón», los que no eran españoles, ya que en este caso hubieran sido llamados de esa manera. Mientras que es perfectamente posible que las personas de razón fuesen de sangre mestiza, es también posible que fueran miembros de otros pueblos, remanentes de los «blancos barbados», quienes fueron mencionados por los españoles desde Perú hasta California, y acerca de los cuales Bierce supo mediante sus extensas lecturas, que incluían las historias de H. H. Bancroft, al igual que por conocer a algunos de los hombres que las escribieron.

Lo que esto tiene de significativo para nuestra hipótesis acerca de Bierce, Mitchell-Hedges y la calavera de cristal en Honduras Británica reza así:

Ya sea que Bierce haya viajado a Inglaterra en 1914 y regresado meses más tarde, o si solo le dio la carta a Mitchell Hedges para que la despachara desde Inglaterra y permaneció en Honduras Británica, él decidió hacer investigaciones en el triángulo de Yalbac o en algún otro de los tantos lugares igualmente misteriosos en el área. Y, debido a su asma, es probable que fuese un lugar donde hubiera montañas y, por lo tanto, cuevas y barrancos.

Esa posibilidad no es del todo fantástica. Cualquier lector de las obras de Bierce reconocerá al instante la atracción que la calavera de cristal y su origen tuvieron sobre él. Las cabezas de muertos, por decirlo de alguna manera, saturaban su mente. Lo macabro ejercía un gran atractivo sobre él. La posibilidad de que existiesen fuerzas desconocidas en poder de remanentes de civilizaciones más antiguas —y posiblemente blancas, además— atraparía su interés. Dado que sabía que la historia de México y América Central contenía abundantes sugerencias sobre la clase de cosas descriptas en las investigaciones oficiales del padre Serra y otros inquisidores, gracias al estímulo de la calavera, del país y de sus conocimientos, tendría precisamente la clase de tema que más atraería su interés en esa etapa de su vida.

De hecho, no solo su ida a México como un agente de inteligencia, sino también el haberse involucrado con la calavera de cristal estarían de acuerdo con el sabio y hermoso comentario de McWilliams sobre el casi sexagenario Bierce: «su espíritu idealista y romántico continuó tratando de acercarse a esa experiencia desconocida que al final lo arrastró detrás de su brillante fosforescencia a lo largo de los territorios mexicanos».

... De manera que si se aventuró en el triángulo de Yalbac o en algún otro lugar misterioso de la región, algo que pudo haberle ocurrido es una desaparición de la misma clase que la experimentada por Coh y Bascombe. La explicación más obvia de esto sería —en homenaje al difunto Charles Hoy Fort— que personas desconocidas los sacaron volando de los claros de la selva y después los condujeron bajo tierra a través de cuevas subterráneas.

Mientras que la historia de Gann y la extraña conclusión de Morrill parecen tan increíbles que rayan en lo imposible, podemos imaginar que cualquier persona asociada con calaveras de cristal podría, en definitiva, tener algunas ideas alocadas. Dados los informes modernos de chupacabras y humanoides voladores (acerca de los cuales existen filmaciones) en Puerto Rico, Texas y México durante las últimas décadas, podemos ver el informe del padre Serra y las historias de Gann como algunas de las primeras crónicas acerca de estos sucesos que ahora, en apariencia, son comunes. La ciudad de Monterrey en el norte de México fue aterrorizada en 2004 por una bruja voladora, la que en un momento se posó sobre el capó de la patrulla de un oficial de la policía y luego se asomó a la ventanilla para atacarlo. La televisión mexicana se ocupó de este curioso incidente durante semanas.

¿Acaso alguna clase de humanoide volador-bruja-monstruo se llevó volando a las personas que describe Gann y luego secuestró a Ambrose Bierce? Sibley S. Morrill así lo creyó —quizás después de escrutar una calavera de cristal.

De esta manera llegamos al final de la sorprendente historia de Morrill, sazonada con monstruos voladores, jugadores de póquer, aventureros, una colección de antiguas calaveras de cristal, marchantes de arte inescrupulosos, revolucionarios mexicanos y ciudades mayas perdidas en las junglas de América Central. Sin embargo, apenas hemos rozado la superficie de los enigmas relacionados con las calaveras de cristal. Examinemos ahora más de cerca a Mike Mitchell-Hedges y su vinculación con estos objetos.

# Apéndice 3

# F. A. Mitchell-Hedges
# y la Calavera del Destino

No hay nada nuevo bajo el sol
—pero cuántas cosas viejas hay que no conocemos.

Ambrose Bierce, *El Diccionario del diablo.*

Es casi imposible hablar de calaveras de cristal en cualquier contexto sin considerar la vida de F. A. *Mike* Mitchell-Hedges. Él conoció a muchas personas bien relacionadas e interesantes, entre otros J. P. Morgan, Pancho Villa, Ambrose Bierce y el doctor Thomas Gann.

Una vida de aventuras esperaba a Mitchell-Hedges (1882-1959): partió hacia América en 1899 cuando tenía diecisiete años de edad, trabajó en Nueva York y en Montreal, jugó al póquer con J. P. Morgan y sus amigos y luego se fue a México a cabalgar junto a Pancho Villa. Parecía una cosa divertida de hacer en aquellos días para ciertos jóvenes.

Mitchell-Hedges apareció más tarde en Honduras Británica, en la ciudad perdida de Lubaantún, en 1924, donde practicó excavaciones con el doctor Gann y lady Richmond Brown.

Gann describe este periodo en su libro *Mystery Cities*: «Al regresar a Belice en diciembre de 1924, me reuní con lady Brown y el señor Mitchell-Hedges, y después de una corta vacación de pesca en los cayos y arrecifes a lo largo de la costa de Honduras Británica llegamos, a comienzos de marzo de 1925, a bordo de su yate *Cara*, a Punta Gorda, el establecimiento más austral de la colonia, con la intención de subir por el río Grande y continuar por su brazo Columbia la exploración de las antiguas ruinas mayas de Lubaantún que habíamos comenzados el año anterior». Nótese que cuando Gann hace mención a Belice, se refiere a la ciudad principal del país que en aquellos días se llamaba Honduras Británica; en la actualidad todo el país se llama Belice.

El doctor Gann tenía una larga historia de trabajos arqueológicos en Belice, donde dirigió las primeras investigaciones de Xunantunich que se realizaron en 1894 y 1895. En ese lugar descubrió y extrajo grandes cantidades de objetos funerarios, al igual que algunos jeroglíficos grabados que rodeaban el altar 1 de ese yacimiento. En la actualidad, el paradero de estos jeroglíficos y de muchos de los objetos funerarios es desconocido.

Después de las excavaciones realizadas en Xunantunich, se le ordenó al doctor Gann que investigara las ruinas de Lubaantún en el extremo sur del país. La existencia de este sitio fue informada a las autoridades coloniales británicas a finales del siglo XIX por los leñadores de un establecimiento llamado Toledo cerca de Punta Gorda. En 1903 el gobernador de la colonia comisionó a Gann para que investigara el sitio. Este lo exploró y excavó las principales estructuras alrededor de la plaza central y concluyó que el lugar debió tener una gran población. Su informe al respecto se publicó en Londres en 1904.

En 1915 R. E. Merwin de la Universidad de Harvard investigó el sitio y localizó muchas otras estructuras, reconoció un campo utilizado para el juego de pelota y trazó el primer plano. Las excavaciones del campo de juego dejaron al descubierto tres bloques de piedra grabados. Todos mostraban las figuras de dos hombres practicando el juego. Curiosamente, estas fueron las únicas piedras grabadas que se hallaron en Lubaantún.

El doctor Gann regresó a Lubaantún en 1924 con Mitchell-Hedges y lady Richmond Brown para supervisar las excavaciones de algunos sectores de la ciudad, y el equipo retornó para seguir cavando en los años subsiguientes.

En el área que comprende el norte de Guatemala, Quintana Roo y Belice todavía existen gran cantidad de pirámides —y ciudades enteras perdidas— que permanecen sin excavar en medio de las junglas espesas e impenetrables. El hecho de que Mike Mitchell-Hedges y sus compañeros hayan descubierto o excavado algunas de estas ciudades es en sí un pensamiento emocionante. La idea de que una calavera de cristal se haya sumado a ese escenario para indicar que la civilización que produjo ese artefacto poseía alguna forma de alta tecnología es aun más emocionante.

Belice es una región pantanosa de la costa de América Central que fue ocupada por piratas y corsarios británicos en el siglo XVII. El Papa había declarado la división del Nuevo Mundo entre España y Portugal en 1494, dejando fuera de la distribución a todos los demás países europeos —incluidos Francia, Holanda e Inglaterra. Por lo tanto, la ocupación del Caribe y de Sudamérica por comerciantes y exploradores de estos países fue progresiva; poco a poco piratas y corsarios fueron ocupando islas remotas o sectores deshabitados de la costa. Los únicos puntos de apoyo en América Central eran Honduras Británica y muchas de las islas de la extensa cadena de arrecifes de coral que se despliega a lo largo de la costa en esta zona. Corsarios británicos devenidos leñadores habitaron esta región durante varios siglos y, con la ayuda de los nativos, se ganaron la vida proveyendo de buena madera a las embarcaciones que atracaban en los numerosos puertos pequeños de la zona.

Honduras Británica era un punto de apoyo crucial para Inglaterra en América Central, de la misma manera que lo era la Guayana Británica en Sudamérica y las islas caribeñas de Jamaica y Barbados. Honduras Británica se convirtió en colonia de la corona británica en 1871 y en 1961 se la rebautizó oficialmente Belice.

Guatemala siempre reclamó Belice, y si bien sus protestas ahora amenguaron, siempre estuvo latente la amenaza de que Guatemala retomara el territorio usurpado. Los primeros tiempos de Honduras Británica fueron inestables, y los ingleses —pese a tener una fuerza naval superior a la de Guatemala— estaban preocupados por posibles ataques.

Además, muchas otras áreas de América Central y México eran en extremo inestables en los años posteriores a 1871 y al establecimiento de Honduras Británica como una colonia de la corona. Por esa razón, Gran Bretaña deseaba colocar agentes o espías en la zona para explorar, investigar e informar acerca de lo que estaba sucediendo en esta turbulenta región conformada por México, América Central y el Caribe. A este mundo llegó F. A. *Mike* Mitchell-Hedges.

F. A. Mitchell-Hedges era una persona fascinante, y de alguna manera su vida fue un modelo para un personaje del tipo de Indiana Jones. Después de su aventura en México con Pancho Villa en 1914, regresó a Inglaterra y más tarde reapareció en Canadá, donde halló y adoptó a la joven Anna.

Viajaron juntos a California, donde dejó a Anna en una escuela internado, y después se fue a Mazatlán y a Honduras. Durante los años siguientes viajó por América Central. En *Danger my Ally*, afirma: «Me propuse la tarea de descubrir América Central. Durante los dos años que siguieron viajé de Honduras a Guatemala y Nicaragua y también al pequeño país de San Salvador.»

Alrededor de 1920 regresó a Inglaterra. Allí visitó a su amiga y amante, a la sazón enferma, la rica lady Richmond Brown, a quien sus doctores le habían recomendado que no viajara sino que hiciera reposo. Ella se negó y en cambio compró un yate para ellos dos, el *Cara*, y pusieron rumbo al Caribe.

A partir de 1921, ellos dos más la tripulación y Jane Harvey Houlson, la secretaria de Mitchell-Hedges, navegaron y exploraron las Islas de la Bahía de Honduras, las islas San Blas frente a Panamá y el área alrededor de Jamaica. Eran casi como dioses en una pequeña isla, según un capítulo en uno de sus libros, *Land of Wonder and Fear* (en español, «Tierra de maravillas y miedo»).

Él, y al parecer también lady Richmond, creyeron que algunos de los artefactos que hallaron en las Islas de la Bahía eran indicios de una civilización muy avanzada que se encontraba entonces debajo del agua, y la equipararon a la Atlántida. Mitchell-Hedges tenía inclinación a las ciencias místicas y las sociedades secretas, y abogó por la causa de las civilizaciones perdidas y la Atlántida. Podemos decir que haber obtenido la calavera de cristal fue la culminación de una vida de aventura, arqueología y coqueteo con lo oculto. Es en este aspecto que fue uno de los modelos para Indiana Jones.

Su búsqueda de la Atlántida y de monstruos marinos se reflejó en varios libros y numerosos artículos que escribió para revistas y periódicos de Nueva York y Londres. En sus artículos y frecuentes apariciones radiales afirmó que había encontrado la Atlántida debajo del mar Caribe.

Mike Mitchell-Hedges y sus temerarias amigas aparecieron por primera vez en los medios populares de Gran Bretaña en su libro de 1923 *Battle with Giant Fish* (en español, «Batalla con peces gigantes»), publicado por sus amigos de la casa editora Duckworth, en Londres. Duckworth continuaría publicando numerosas obras de Mitchell-Hedges y sus amigas durante la década siguiente.

La siguiente publicación fue *Unknown Tribes—Uncharted Seas* (1924) (en español, «Tribus desconocidas, mares sin registrar»), de lady Richmond Brown. Después vinieron el de Gann, *Mystery Cities* (1925), el libro de Mitchell-Hedges sobre pesca de altura *Battling with Monsters of the Sea* (1929) (en español, «Batalla con monstruos marinos»), su primera autobiografía *Land of Wonder and Fear* (1931), *The White Tiger* (1931) y, por último, un libro interesante de su secretaria, Jane Harvey Houlson, titulado *Blue Blaze* (1934), (en español, «Resplandor azul»).

Tanto Brown como Houlson aparecen en retratos formales en sus libros portando armas. En la cubierta de su libro *Blue Blaze* puede verse a Houlson llevando un rifle, y Brown, en un gran retrato, lleva una pistola metida en el cinturón. Siempre era necesario cargar bastantes armas en un yate, los marineros debían estar dispuestos a usarlas y ambas damas en apariencia eran tiradoras de primera. Mitchell-Hedges era un hombre alto y llamativo, ¡dispuesto a contarle vigorosamente a quien fuera sus historias sobre la Atlántida! El trío, junto con los miembros de la tripulación, formaban un equipo con el que era mejor no meterse, y libraron sus encuentros a tiros tal como lo narran en sus libros.

Mientras no viajaba, Mitchell-Hedges daba numerosas conferencias y hacía muchas apariciones radiales y tenía fama de ser un jactancioso relator de historias y un poco fanfarrón. En varias oportunidades lo acusaron de mentiroso. Si bien parece que inventaba algunas historias, debe notarse que historias como las suyas, las que involucraban aventuras en lugares salvajes y remotos, son en esencia difíciles de documentar. El hecho de que siguiera recibiendo el patrocinio de instituciones como el Heye Museum, el Museo Británico y el *Daily Mail*, debió significar que estos depositaban en él una gran dosis de confianza y que en la práctica lo que él hacía era satisfactorio para ellos. De hecho, se sabe que donó objetos al Museo Británico.

Además de esto, vimos en el capítulo anterior que Morrill conjetura que pudo haber sido un agente británico, financiado por el gobierno de Gran Bretaña, y por lo tanto sujeto a la British Secrets Act (la ley que regula la información de índole secreta de ese país), la que establece una condena obligatoria a dos años de trabajos forzados por cualquier violación a la misma. ¡Es posible entonces que se haya visto obligado a inventar historias y a cambiar los hechos en sus libros!

Estos libros fueron muy populares en su momento, y *The White Tiger* se reeditó varias veces con grandes tiradas en formato pequeño de tapa dura para las tropas y otros lectores de libros ingleses expatriados durante la Segunda Guerra Mundial. *The White Tiger* es una buena novela de aventuras con mucho ritmo, plena de un inspirador autosacrificio y buen espíritu, cualidades de gran importancia en esa época.

Después de la guerra, Mitchell-Hedges escribió *Pancho Villa's Prisoner* (1947) (en español, «El prisionero de Pancho Villa») y luego su último libro y el más popular, *Danger my Ally* (1954), donde menciona por primera vez a la calavera de cristal.

Lo que despierta la curiosidad, según muchos investigadores, es por qué en todos estos libros nunca se menciona a la calavera de cristal —La Calavera del Destino— hasta *Danger my Ally*. ¿Es que los autores estaban obligados por un juramento a mantener en secreto su origen? ¿Acaso Mitchell-Hedges se encontró con la calavera ya avanzada su vida, después de todas sus notables aventuras? ¿Tenía la calavera un origen secreto que él no podía revelar?

Solo le dedica tres párrafos a la calavera de cristal en su libro, cosa que resulta extraña, y estos tres párrafos fueron eliminados de la edición estadounidense que se publicó más tarde. Con referencia a un viaje a Sudáfrica en 1947, el autor dice:

> También llevamos con nosotros la siniestra Calavera del Destino, acerca de la que mucho se ha escrito. De cómo llegó a mi poder, tengo razones para no revelarlo.
>
> La Calavera del Destino está hecha de puro cristal de roca, y según científicos debe haber tomado ciento cincuenta años de trabajo diario durante toda la vida de una generación tras otra de paciente restregar con arena un inmenso bloque de cristal hasta obtener al fin la calavera perfecta.
>
> Tiene al menos tres mil seiscientos años de antigüedad, y según la leyenda el Sumo Sacerdote maya la utilizaba para realizar ritos esotéricos. Se dice que cuando él deseaba la muerte con la ayuda de la calavera, esta invariablemente se producía. Se la ha descrito como la personificación de todo mal. No es mi intención tratar de explicar estos fenómenos.

En el libro se reproduce una fotografía de la calavera con el siguiente epígrafe: «La Calavera del Destino, que data de al menos 3600 años atrás y que ha llevado ciento cincuenta años de restregar con arena un bloque de puro cristal de roca, casi tan duro como el diamante. La leyenda afirma que un sumo sacerdote maya la utilizaba para concentrar y desear la muerte. Se dice que es la personificación de todo mal; varias personas que se rieron cínicamente de ella han muerto, otros han sufrido ataques y desarrollaron enfermedades graves».

La historia popular del descubrimiento de la calavera Mitchell-Hedges dice que tuvo lugar en el último periodo de excavaciones en Lubaantún en 1927. Se afirma que Anna estaba excavando en un altar derruido y el muro adyacente a este cuando descubrió la calavera de tamaño real el día de su cumpleaños número diecisiete. Tres meses más tarde se halló un maxilar que encajaba en la misma a unos ocho metros del altar. Y de esta manera, uno de los objetos antiguos más extraños atrajo la atención del mundo. Pero, en realidad, nada se dijo acerca del mismo hasta muchos años después.

En consecuencia, parecería que su origen es más misterioso que su supuesto descubrimiento por la joven Anna el día de su cumpleaños. De hecho hay varias fisuras importantes en esa historia, las que analizaré más adelante en este libro. Una es que la calavera en realidad perteneció a Mitchell-Hedges, quien la legó a Anna a su muerte en 1959.

Otra posibilidad es que la calavera proviniera de alguna otra ciudad antigua de América Central, o quizás de México, y formara parte del botín robado en alguna pirámide. Mitchell-Hedges la compró luego como un objeto robado. En ese caso, no estaría en el interés de nadie revelar el origen de la calavera, de ahí su afirmación de que tenía motivos para no hacer público cómo la adquirió.

Una teoría alocada es que la calavera era una reliquia de doce mil años de antigüedad de la Atlántida que fue traspasada de generación en generación por los Caballeros Templarios para finalmente llegar a la posesión del círculo íntimo de la Logia Masónica más importante. Mitchell-Hedges era un masón de ese círculo íntimo y pudo haberla obtenido mediante la sociedad secreta o en pago de una deuda de juego. Luego la presentó al mundo mediante el ingenioso artilugio de una ciudad perdida.

Esta es la historia narrada como ficción en la única novela de Mitchell-Hedges, *The White Tiger*. Este libro de 1931 sin ilustraciones tiene 32 capítulos de animadas aventuras en la jungla escritos en el popular estilo de las películas de suspenso en serie. En el libro, un apenas disimulado Mitchell-Hedges es el héroe Richard Hampden —apodado *el Tigre Blanco* por los nativos— quien, en el segundo capítulo, despierta con una misteriosa dama de nombre Diana (presumiblemente, lady Richmond Brown en la vida real).

Lo que tiene relevancia para nuestra indagación sobre dónde obtuvo Mitchell-Hedges su calavera de cristal es que él da una pista al respecto en los capítulos quince y dieciséis: «The Lost City» y «The Treasure of the Aztecs» (en español, La ciudad perdida y El tesoro de los aztecas). En estos capítulos, el Tigre Blanco es conducido a una ciudad perdida en las junglas de América Central donde le muestran el tesoro secreto de los aztecas, ocultado por Moctezuma cuando el impero se desmoronaba. Los nativos confiaban en el Tigre Blanco como una suerte de avatar a quien podían revelar el tesoro secreto oculto en una ciudad desierta en la profundidad de la selva.

Dice Mitchell-Hedges en *The White Tiger:*

> Muganii, el anciano sabio, previendo que su muerte estaba próxima, inició por fin al Tigre Blanco en el gran secreto de los indios, celosamente guardado por ellos durante siglos. El tesoro escondido de los aztecas ya no era una simple leyenda.
>
> Suspendida del cordón colocado por Muganii alrededor del cuello del Tigre Blanco había una placa de jadeíta, y grabada sobre la misma estaba la ubicación exacta del tesoro. El jeroglífico, si bien muy desgastado por el tiempo, aún era legible.
>
> El viejo hechicero había susurrado acerca del viaje que habría de emprender y de los peligros y dificultades que debería enfrentar el Tigre Blanco antes de poder llegar al lugar casi inaccesible donde estaba escondido el tesoro. Muganii murió sabiendo que el Señor Blanco lograría aquello que sería imposible para la mayoría de los hombres; que las penurias

del viaje serían superadas, los peligros vencidos y el oro, una vez hallado, sería bien y sabiamente utilizado.

Su confianza no fue defraudada, ya que el Tigre Blanco partió de inmediato en un viaje que ahora llegaba a su fin. Sus penurias nunca se sabrán. Solo un hombre de voluntad indomable pudo haber resistido los horrores de las ciénagas y la jungla que atravesó. De los indios que partieron con él, diecisiete murieron —la fiebre, las pestes y los insectos ponzoñosos se cobraron su parte. Hasta su jefe con su férrea constitución mostró los efectos de las privaciones y las exigencias físicas que soportó.

Mientras descansaba tirado en una hamaca bajo el calor insufrible, con la transpiración brotando de cada poro de su cuerpo, por primera vez las dudas penetraron su mente. ¿Qué pasaría si el secreto de Muganii fuera una fábula después de todo, y la información grabada en la placa de jadeíta, solo una leyenda? Dejó ese pensamiento de lado. Imposible. El viejo hechicero sabía. El tesoro de Moctezuma existía, sin dudas.

Con las primeras luces del amanecer de la mañana siguiente levantaron campamento, y los cansados indios recomenzaron la tarea de abrir un sendero en medio de la espesa maleza de la selva. Transpirando, comidos vivos por miríadas de insectos, siempre alertas ante el peligro de la mortal serpiente de cascabel que infestaba la región, avanzaban hora tras hora. El mediodía llegó y se fue. La tarde se desvaneció. Sin apenas una pausa, acicateados por la esperanza de que ahora estaban a una corta distancia de liberarse de las torturas de las últimas semanas, siguieron adelante.

Un grito surgió de entre quienes iban adelante. El bosque se hacía menos denso y su avance se hizo más rápido. Todo el día estuvieron ascendiendo a paso firme; otro kilómetro de maleza y esta también terminó, y delante de ellos surgió un vasto espacio abierto.

El Tigre Blanco miró con atención. A sus pies se abría una suave pendiente que llevaba a un amplio valle. Más adelante, la tierra ascendía formando una meseta natural. Sobre esta se alzaba un altísimo alcázar que brillaba como la escarcha congelada mientras el sol del atardecer caía sobre ella con un efecto deslumbrante.

Los indios temblaban de temor supersticioso. Una extraña quietud cubría todo después del eterno zumbido de los insectos de la jungla, el que había cesado mágicamente cuando emergieron de la maleza.

El Tigre Blanco protegió sus ojos del sol con la sombra de la mano. Esto no era un espejismo, tampoco estaba soñando. Delante de él se encontraba revelado el secreto transmitido por generaciones. Muganii, al decírselo con su último aliento, permitió que el hombre blanco estuviera parado aquí, en el umbral de una ciudad muerta, con el conocimiento de que entre las brillantes pirámides se encontraba guardado el oro de los aztecas.

Llegaron a una ciudad secreta en la selva, y ahora él esperaba que le mostrasen el tesoro perdido de los aztecas. Más adelante, en el capítulo dieciséis, Mitchell-Hedges escribe:

Pero el momento culminante aún no había llegado. Cuando ingresaron al templo, el sacerdote lo condujo de modo ceremonioso hasta uno de los grandes muros y apoyó su mano de una manera determinada sobre lo que aparentaba ser un bloque de piedra sólida. Al tocarlo, este se deslizó con lentitud hacia atrás dejando ver una serie de escalones por los cuales descendieron. El farol que llevaba el sacerdote arrojaba extraños reflejos de luz hacia la oscuridad. Continuaron bajando por incontables escalones hasta las entrañas mismas de la Tierra; en un punto el sacerdote presionó una vez más la roca en apariencia sólida que les cerraba el paso. Casi sin hacer ruido el bloque de piedra se abrió cual si estuviese montado sobre bisagras bien aceitadas, y delante de ellos se abrió un largo túnel. Lo atravesaron y luego continuaron descendiendo por otro tramo de escalones. Por tercera vez el sacerdote tocó una pared y una gran piedra se deslizó a un costado. Bajo la tenue luz del farol, el Tigre Blanco vio que se encontraban en una inmensa bóveda cavada en la roca viva.

Delante de él, en un montón confuso, estaba el tesoro de los aztecas.

Cálices, cuencos, jarras y otros recipientes de oro de todo tamaño y forma; placas inmensas y extraños ornamentos brillaban débilmente. No había piedras preciosas, pero sí muchos chalchihuites (pendientes de jade-íta) extraordinarios. Máscaras de obsidiana y conchas con bellas incrustaciones, todo estaba apilado junto a cabezas talladas en bloques macizos de cristal. La leyenda no había exagerado el tesoro de los aztecas. Una fortuna casi ilimitada yacía a disposición del Tigre Blanco.

Las masacres, las violaciones y las escalofriantes torturas que los desdichados aztecas tuvieron que soportar de manos de los conquistadores españoles no lograron arrancarles el secreto de este lugar oculto. Fieles a la promesa que juraron a sus dioses, prefirieron morir antes que permitir que los odiados conquistadores lo usufructuaran.

Con esta vasta fortuna un hombre podría ascender a cualquier altura, permitirse cualquier lujo, comprar cualquier título y convertirse en uno de los personajes sobresalientes del mundo. Pero los indios juzgaron, y con razón, que para el Señor Blanco estas cosas no tenían importancia y que este tesoro se utilizaría solo para su regeneración.

El Sumo Sacerdote puso ceremoniosamente todo a disposición del Tigre Blanco y lo instruyó acerca de cómo lograr el ingreso a la bóveda. Luego, ambos hombres abandonaron la cámara y los grandes portones de piedra se deslizaron a su posición original detrás de ellos.

De esta manera, el Tigre Blanco de Mitchell-Hedges (él mismo) obtiene el tesoro perdido de los aztecas. El autor dice que «Máscaras de obsidiana y conchas con bellas incrustaciones, todo estaba apilado junto a cabezas talladas en bloques macizos de cristal.» Es muy probable que las cabezas talladas en sólidos bloques de cristal fuesen calaveras, pero él no lo especifica exactamente. Aun así, parece que Mitchell-Hedges, en un libro de ficción publicado en 1931, está dando a entender que existía un tesoro que incluía algunas calaveras y otros objetos de cristal.

¿En verdad le mostraron a Mike Mitchell-Hedges una ciudad secreta en la que había calaveras de cristal y otros tesoros traspasados durante generaciones? Quizás él haya obtenido la Calavera del Destino en esta ciudad perdida. Es una idea fabulosa sin embargo, y él la insinuó en sus presentaciones radiales. En su época las apariciones en la radio y las conferencias, que incluían transparencias y música, eran comunes y podían generar una buena cantidad de dinero, dependiendo de cuantas personas adquiriesen billetes para asistir cualquier tarde dada al encuentro.

Quizás Mike Mitchell-Hedges adquirió la calavera de cristal en Londres para satisfacer sus sueños de poseer un tesoro azteca; tal vez la obtuvo en una partida de póquer o se la compró a Pancho Villa; tal vez le fue obsequiada por mayas que lo idolatraban en una ciudad perdida; quizás fue él quien la trajo a América Central. Es posible que nunca lo sepamos.

Existen otros misterios relacionados con las ruinas de Lubaantún además de la calavera de cristal. En un principio, Gann pensó que esas eran las ruinas mayas más antiguas jamás descubiertas. Originalmente se las conoció como las ruinas de Río Grande (debido a la proximidad del río con ese nombre) y fueron presentadas al mundo en un artículo aparecido en el periódico *Illustrated London News* del 26 de julio de 1924. En este artículo, el doctor Gann dice «En una segunda pirámide hallamos cámaras de piedra derrumbadas; quisimos limpiar una de ellas de los escombros de piedra y basura que la llenaban, pero pronto debimos desistir ya que el gran peso de las piedras requería del esfuerzo combinado de todos nuestros trabajadores para sacarlas a través de la estrecha abertura en el techo y pronto nos dimos cuenta de que, si queríamos realizar algún otro trabajo en el tiempo limitado del que disponíamos, debíamos dejar esas cámaras de las pirámides para más adelante». Nunca se realizó una excavación en estas cámaras a pesar de se enviaron sucesivas expediciones arqueológicas al lugar, y de hecho, la mayor parte de Lubaantún se encuentra tal como la halló el doctor Gann, si bien se ha despejado la selva circundante.

Gann creía que era la más antigua de todas las ciudades mayas descubiertas hasta ese momento. En el artículo del *Illustrated London News*, Gann concluye:

> Antes de partir bautizamos a la ciudad Lubaantún —que significa «el lugar de las piedras caídas» en lengua maya. Esta se diferencia de las otras ciudades mayas conocidas en que no se encuentran palacios ni templos de piedra erigidos sobre las grandes estructuras piramidales y en la ausencia total de esculturas de piedra y de los grandes monolitos sobre los que se inscribían los días en que fueron levantadas, colocados a intervalos de veinte años y, con posterioridad, a intervalos de cinco años por los mayas en toda América Central y Yucatán.
>
> Debido a la ausencia de esculturas, templos y palacios de piedra, parecería que estas ruinas son anteriores a Copán, Quiriguá, Uaxactún y otras ciudades del antiguo imperio, en las que las fechas más antiguas que se registran se remontan aproximadamente al comienzo de la era cristiana, porque es casi seguro que con anterioridad las fechas mayas se registraban sobre madera, y los templos y palacios más antiguos se construían con el mismo material.

Gann creía que Lubaantún se había erigido alrededor del año 2000 a.C., y la ausencia de jeroglíficos, estelas o fechas de cualquier tipo eran para él evidencia de que la ciudad se había levantado antes que cualquiera de los sitios clásicos que ahora son tan conocidos.

Gann tiene un buen argumento, pero pasa por alto una cuestión muy importante que se deriva de su propia evidencia. Esto es que Lubaantún podría no ser una ciudad maya en absoluto.

Curiosamente, a Lubaantún se la cataloga casi siempre como una ciudad bastante tardía en el imperio maya. Cuando el arqueólogo de Cambridge Norman Hammond realizó excavaciones en la ciudad en 1970, calculó su ocupación entre los años 730 y 890 d.C., las fechas típicas de las ciudades del ocaso de la civilización maya. Hammond expresa la teoría de que la principal actividad económica de Lubaantún era el cultivo de semillas de cacao, las que se utilizaban como moneda en todo el imperio maya.

De manera que por un lado tenemos a Gann y a Mitchell-Hedges sosteniendo que Lubaantún es la ciudad maya más antigua jamás hallada, construida hace cuatro mil años, mientras que los arqueólogos más tradicionales le adjudican a la estructura una fecha alrededor del año 730 d.C. El hecho de que los jeroglíficos, las estelas o que las técnicas típicas de construcción de los mayas estén por completo ausentes en Lubaantún parece no formar parte de sus cálculos.

Cuando visité Lubaantún por primera vez, hace más de quince años, me sentí impresionado por la construcción de los edificios. Las ruinas eran muy diferentes a cualquier otra cosa que hubiera visto en toda América Central. Después supe que Lubaantún es única en el mundo maya por ser una ciudad construida con bloques de piedra cortados con precisión y ensamblados sin utilizar argamasa. Es la única ciudad maya construida de esta manera. Las estructuras de Lubaantún tienen esquinas redondeadas, una característica que es muy poco frecuente y que solo se ve en algunos sitios a lo largo del río Usumacinta hacia el norte. Definitivamente, Lubaantún es un sitio inusual.

Mientras caminaba por la ciudad, lo que más impresionó fueron las piedras cortadas con precisión. Por haber pasado mucho tiempo en Perú, la similitud entre la técnica de construcción de Lubaantún y las sorprendentes ciudades en las alturas de los Andes alrededor de Cuzco (Machu Picchu, por ejemplo), era muy llamativa. Lubaantún no me recordaba a Tikal o a Copán en Honduras, sino a otras ciudades mucho más misteriosas en Sudamérica.

Entre las ciudades que conocía, una que tenía una apariencia similar a Lubaantún es Lixus, en la costa atlántica de Marruecos. Lixus es una ciudad fenicia que fue ocupada por los romanos después de las Guerras Púnicas. ¿Puede ser que Lubaantún haya sido una ciudad fenicia? Ambas ciudades se construyeron con piedras cortadas con precisión, sin el uso de argamasa. ¿Existe una relación entre ambas?

¿Fue Lubaantún una ciudad fenicia en el Nuevo Mundo? ¿Quizás su mayor base comercial sobre la costa oriental de Yucatán? ¿Acaso los barcos fenicios provenientes de Cartago, Tarsis (actual Cádiz) o Lixus llegaban a Lubaantún para realizar intercambios alrededor del año 1000 a.C.?

Si los mayas ya se encontraban bien establecidos en esta costa y el norte de Yucatán, quizás los fenicios pudieron obtener una concesión comercial, similar a la que los británicos y portugueses pudieron lograr con los emperadores de China cuando montaron sus ciudades comerciales en Hong Kong y Macao.

Una pista que respalda esta teoría era el uso de las mismas tinturas especiales, tanto por parte de los mayas como de los fenicios. En realidad no sabemos cómo los fenicios se llamaban a sí mismos. La palabra con que los denominamos se deriva de un término griego que significa «gente púrpura». Se utilizó ese término para describir a los fenicios porque acostumbraban usar bellas túnicas color púrpura que teñían con un raro colorante especial que obtenían de un caracol marino.

En un artículo sobre las tinturas mayas escrito por Laura de los Heros y publicado en la revista *Kukulcán* de Aerocaribe (año 3, número 11, febrero de 1991) se demuestra que los mayas usaban exactamente la misma tintura: «En el transcurso del intercambio, los mayas también recibieron plantas y animales que producían sustancias colorantes. Tal vez las tinturas más valiosas fueran el escarlata extraído del insecto cochinilla que vive como parásito en el cactus nopal y el púrpura obtenido de las secreciones tintas de los caracoles marinos de la costa del Pacífico».

¿Dónde aprendieron los mayas este secreto de la tintura púrpura? Quizás de los fenicios, o por el contrario, ¡tal vez fueron los fenicios quienes lo conocieron por los mayas! Parece posible que Lubaantún fuera una ciudad fenicia y no maya.

Con las excavaciones de Lubaantún, una ciudad megalítica, ¿acaso Mitchell-Hedges, Brown y Houlson hallaron por fin la prueba de la existencia de la Atlántida en el Caribe? Aquí se encontraba lo que en apariencia era la ciudad anterior a la época maya que estaban buscando. De hecho, si era tan antigua como ellos pensaban, entonces también es probable que hubiera estado relacionada con los olmecas. Ellos creían que las construcciones y objetos megalíticos, como las enormes cabezas olmecas de piedra e incluso las ruinas gigantes de Sudamérica, Costa Rica, Nicaragua, Honduras, Guatemala y México, estaban vinculadas con la antigua Atlántida.

Sin embargo, no toda la miríada de ruinas de Mesoamérica provenían de la Atlántida; muchas de las ciudades fueron de construcción más reciente por los mayas, toltecas o aztecas. Lo que distingue a las obras verdaderamente antiguas es el uso de piedras gigantes o megalitos, como las cabezas colosales de los olmecas o los grandes portales de Mitla y Monte Albán. Lubaantún es una ciudad de ese estilo, y la ausencia de jeroglíficos mayas resalta el hecho de que tal vez no haya pertenecido a esa civilización. Mitchell-Hedges no podía mostrar al mundo una ciudad sumergida en el mar Mediterráneo —eso resultó imposible— pero sí podía mostrarle Lubaantún.

La calavera que se presume fue hallada en Lubaantún tenía muchas propiedades inusuales, y a mediados de los sesenta Frank Dorland la estudió por muchos años.

Frank Dorland era un conocido conservador de arte de la bahía de San Francisco y se lo describe en el libro de Richard Garvin *The Crystal Skull* (1973). Obtuvo permiso de los herederos de Mitchell-Hedges para someter la calavera de cuarzo a diversas pruebas que se llevaron a cabo en los laboratorios de la firma Hewlett-Packard en Santa Clara, California. La calavera permaneció por temporadas en su casa durante más de seis años, y Dorland afirma que en ocasiones la vio resplandecer y que percibió sonidos y olores extraños que provenían de la misma de manera ocasional.

Durante los últimos días en los que Dorland tuvo la calavera en su poder, se la sumergió en un baño de alcohol benzílico en los laboratorios Hewlett-Packard y se hizo pasar un haz de luz a través de la misma. Durante esta prueba se demostró que la calavera y el maxilar provenían del mismo bloque de cuarzo. Esto hizo que el tallado de la calavera fuese aún más notable de lo que se suponía.

Los técnicos en cristalografía de Hewlett-Packard también descubrieron en esa ocasión que tanto la calavera como el maxilar se tallaron sin tomar en cuenta el eje natural del cristal de cuarzo. Esto se espera que suceda en las calaveras antiguas, pero no así en las modernas. La razón es que las herramientas que se usan en la actualidad para el corte de los cristales producen vibraciones y pueden fracturar y quebrar un cristal si se lo corta de modo equivocado. Por lo tanto, el primer procedimiento siempre es determinar el eje y trabajar a lo largo de este durante el subsiguiente proceso de tallado.

Según afirmó Dorland, no pudo hallar ninguna evidencia del uso de herramientas de metal. Buscó señales de algún rasguño delator sobre el cristal con un microscopio de alta potencia para el análisis. A partir de pequeñas marcas en el cuarzo cerca de la superficie tallada,

Dorland determinó que la calavera fue primero cincelada con sumo cuidado hasta darle una forma tosca, probablemente con el uso de diamantes, porque se necesitaría algo de tal dureza para poder hacerlo. Él cree que la forma final y el pulido se hicieron mediante innumerables aplicaciones de una solución de agua y arena con cristales de silicio. Esto se habría hecho a mano, frotando la pieza con un trozo de piel embebido en la solución, una y otra vez.

El problema, sugirió Dorland, era que si se había utilizado ese procedimiento, su cálculo era que se habrían necesitado trescientos años de trabajo continuo para hacer la calavera. Mitchell-Hedges en *Danger my Ally* sugirió que se necesitaron 150 años para hacerla. Si llevaba cientos de años hacer una calavera como esta, eso significaría que estos objetos eran muy importantes para las culturas que los producían —suponiendo que la calavera Mitchell-Hedges y otras similares son en verdad antiguas. En el caso de la calavera Mitchell-Hedges, no tenemos pruebas recientes que confirmen o refuten los resultados de Dorland.

Otro aspecto curioso de la calavera es que los arcos cigomáticos (los arcos de hueso que se extienden a los costados y al frente del cráneo, los pómulos) están meticulosamente separados de la pieza del cráneo y, aplicando principios de óptica moderna, actúan como pozos de luz o cañerías, para llevar la luz desde abajo hacia las cuencas de los ojos. Dorland descubrió que las cuencas de los ojos en sí mismas son lentes cóncavas en miniatura que transmiten la luz desde una fuente colocada debajo, en la parte superior del cráneo. Por si esto fuera poco, se obtiene un efecto final mediante un prisma de cinta ubicado en el interior de la calavera, junto a pequeños túneles de luz, que aumenta de tamaño e ilumina cualquier objeto colocado detrás de ella.

En su libro *The Crystal Skull,* Garvin dice que cree que la calavera se diseñó para ser colocada sobre un haz de luz que la iluminase desde abajo y que haría resplandecer los ojos. Debido a los prismas o pozos de luz dentro del cráneo y cerca de las cuencas de los ojos, tendrían lugar varios efectos prismáticos que iluminarían íntegramente la calavera y haría que las cuencas se vieran como ojos resplandecientes. Dorland realizó experimentos con esta técnica e informó que la calavera se «enciende como si estuviese en llamas».

Además, la pieza del maxilar se encastra al cráneo con precisión mediante dos huecos pulidos que permiten que se mueva hacia abajo y hacia arriba. La calavera queda en equilibrio perfecto en el punto exacto donde tiene dos pequeños agujeros a cada lado de la base para colocarla sobre dos varillas de metal o de madera. El equilibrio en estos dos puntos es tan perfecto que la más mínima brisa provoca que la calavera se incline hacia adelante y hacia atrás, y el maxilar se abra y cierre actuando como contrapeso. Como alternativa, la calavera podría manipularse desde abajo si estuviera apoyada sobre algún tipo de altar o caja hueca y parecería hablar. El efecto visual sería el de una calavera en movimiento que habla y articula, con los ojos encendidos; ¡una visión sorprendente e impresionante de verdad! Por lo tanto, parecería que quien la creó tenía conocimientos de peso y puntos de apoyo y quiso hacer una calavera de cristal que aparentase hablar. De hecho, uno de los libros sobre la calavera Mitchell-Hedges que se publicaron en los años ochenta se llamó *The Skull Speaks* (en español, «La calavera habla»).

Dorland creyó que esta calavera parlante se hizo para utilizarla como un instrumento oracular. Podemos imaginar la muy extraña escena de una persona conducida a una habitación o templo antiguo, para luego mostrarle una calavera de cristal brillante sobre un altar. Cuando esta resplandeciente calavera comienza a hablar, moviendo realmente la boca, el observador puede sentirse muy impresionado y asustado. De pronto, lo que parecería imposible —una calavera de cristal que resplandece y habla— ¡aparece delante de sus propios ojos! Tal vez, después de algunas palabras elegidas de la calavera, los sacerdotes dirigían a la persona atónita a otra cámara donde podía hacer una contribución financiera sustancial para la iglesia o el templo que custodiaba la esplendorosa calavera parlante.

Garvin cita a un empleado de Hewlett Packard llamado Jim Pruett, quien dijo: «Uno de los muchachos bromeaba que si le diésemos un año y cien mil dólares podría duplicarla. No hay forma de demostrar su edad. Mucho del aura de lo oculto, historias de misterio y de maldad que surgieron a su alrededor pueden muy bien provenir de sus ojos. Con mover una fuente de luz o cuando el observador mueve la vista aunque sea en forma muy leve, se puede ver una variedad infinita de refracciones. Pueden ser muy hipnóticas. Yo la veo como una hermosa obra de arte, más allá de su edad y su autenticidad. Eso es algo que no se puede negar.»

Garvin dice, en conclusión: «Hoy, en la época en que el hombre escala las montañas de la Luna, sería prácticamente imposible duplicar este logro. Las lentes, tubos de luz y prismas demuestran una competencia técnica que la raza humana solo alcanzó en época reciente. De hecho, no existe en el mundo en la actualidad nadie dispuesto a intentar duplicar la calavera. Esta fue tallada sin prestar la menor atención al eje natural del cristal de cuarzo y sin considerar la fragilidad del material en sí mismo.»

Para finalizar, Dorland dice lo siguiente acerca de los efectos extraños que en apariencia causa la calavera Mitchell-Hedges:

Las propiedades sobrenaturales de la calavera son inquietantes, por supuesto, pero existen y se pueden demostrar a cualquier persona sensata. La calavera exhibe y transmite al cerebro humano los cinco sentidos: gusto, tacto, olor, vista y oído. Cambia visiblemente de color y transparencia, exhibe un olor propio e inconfundible cuando así lo desea, instala pensamientos en la mente de quien la observa, hace que la gente sienta sed, impone sonidos audibles en los oídos del observador. Aquellos que meditan en su presencia experimentan todo esto y también sienten presiones físicas en el rostro y el cuerpo. Cuando una persona sensible pone las manos cerca de la calavera, percibe diferentes sensaciones de vibración y energía y también frío y calor dependiendo de donde las coloca.

Con respecto a la vista, la calavera parece estar en un flujo constante y exhibe cambios de aspecto, claridad y color. Se ha podido observar que la parte frontal del cráneo se nubla como algodón de azúcar. El mismísimo centro de la calavera a veces se torna tan claro que parece desaparecer en un gran vacío. La calavera misma por momentos ha cambiado de color en su totalidad, de cristal claro a tonalidades de verde, violeta, púrpura, ámbar, rojo, azul, etc. El estudio visual de la calavera tiende a ejercer un fuerte efecto hipnótico en la mayoría de los observadores. En al menos una ocasión la calavera irradió un aura que persistió y fue muy visible durante un lapso de al menos seis minutos, permitiendo un estudio muy exacto de su apariencia, si bien no muy extenso.

Muchos observadores han escuchado numerosos sonidos; siendo los más usuales el tintineo agudo de campanillas o carillones y una polifonía de coros que suena como suaves voces humanas. Hubo inexplicables sonidos de golpes, roturas y chasquidos y otros diversos ruidos que pueden o no tener relación alguna con la presencia de la calavera.

Sensaciones táctiles o físicas, no necesariamente en los dedos ya que a muy pocos individuos se les ha permitido llegar tan lejos como para explorar la calavera con sus propias manos. La mayoría de las sensaciones fueron descriptas como una presión sobre los ojos, o una sensación en el fondo de las cuencas, una rigidez en el pecho y en los músculos y tendones de los brazos y de las piernas. Las observaciones demostraron que estas sensaciones a menudo se acompañaron por una aceleración del pulso y un aumento de la presión sanguínea percibida en los latidos a ambos lados del cuello. En determinados momentos se ha notado un perfume u olor muy distintivo y difícil de describir, con un pesado aroma de almizcle terroso, suavemente aterciopelado y una acentuada nota que es al mismo tiempo amarga y ácida. El gusto, el último de los cinco sentidos, no se ha manifestado particularmente hasta ahora.

Es posible que lo más importante que la calavera hizo mientras estuvo bajo mi cuidado fue mostrarme que la mayoría de los seres vivientes y muchos objetos materiales están rodeados de un halo o aura o como sea que lo quieras llamar.

Una de las cosas llamativas que se dijo que descubrieron en Hewlett-Packard acerca de la calavera Mitchell-Hedges es que el cristal siempre permaneció a una temperatura física constante de 21 grados Celsius, aun cuando la habitación estuviese a otra temperatura.

Dorland es de la opinión de que lo que ocurre con todo esto es que el cristal estimula una parte desconocida del cerebro que abre una puerta mental a lo absoluto. También llegó a la conclusión de que los cambios periódicos en la calavera de cristal se debieron a la posición del Sol, la Luna y los planetas en el cielo.

Dice Dorland en su libro *Holy Ice* (en español, «Hielo sagrado»): «Los cristales emiten en forma permanente ondas de radio de tipo eléctrico. Como el cerebro hace lo mismo, estas naturalmente interactúan».

Unos días después de las pruebas de Hewlett-Packard, Anna Mitchell-Hedges se llevó la calavera de manos de Dorland y tomó un ómnibus con destino a Ontario, donde vivió por temporadas durante los siguientes treinta años. La calavera permaneció con ella en Kitchener, Ontario, y luego durante unos pocos años en Inglaterra. Anna regresó a Canadá por un tiempo y vivió sus últimos años en Indiana con su amigo Bill Homann. Falleció a la edad de cien años en 2007. La calavera le fue legada a Homann.

De manera que parecen no existir dudas de que la calavera Mitchell-Hedges es capaz de producir algunos efectos muy notables, pero ¿es en verdad antigua? Muchos dudan de que lo sea, aunque Dorland cree que sí.

El misterio que rodea al origen de esta calavera, en mi opinión, solo aumenta su mística. ¿Fue Mitchell-Hedges un agente secreto asignado a América Central la mayor parte de su vida? ¿Acaso él la adquirió de alguna manera durante sus andanzas por América Central entre los años 1913 y 1934, el año en que se publicó *Blue Blaze*? Mitchell-Hedges insinuó que la obtuvo como parte de un tesoro azteca secreto en una ciudad perdida. Sibley Morris creía que la había obtenido de Pancho Villa mientras se encontraba con Ambrose Bierce. Mi coautor Stephen Mehler cree que Mitchell-Hedges no tuvo la calavera hasta que se la compró a Sydney Burney en Londres en 1944. Presentaremos más sobre este punto de vista en un próximo capítulo escrito por Stephen Mehler.

# Apéndice 4

# Mapas y esquemas

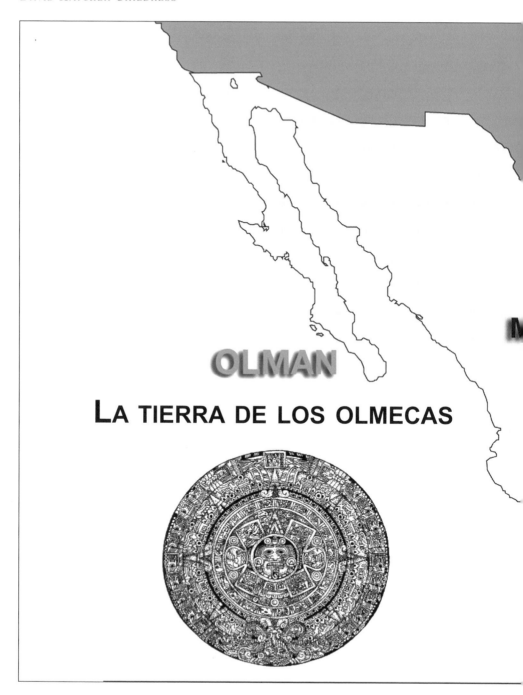

OLMAN

## LA TIERRA DE LOS OLMECAS

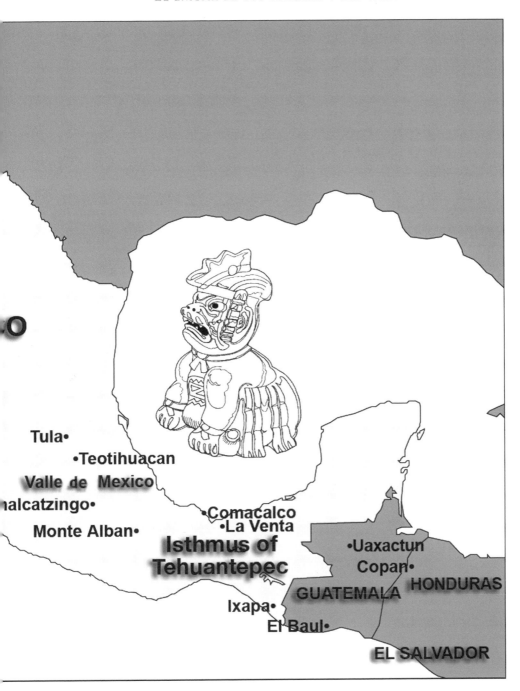

Tula•

•Teotihuacan

Valle de Mexico

halcatzingo•

Monte Alban•

•Comacalco
•La Venta

Isthmus of
Tehuantepec

•Uaxactun

Copan•

GUATEMALA HONDURAS

Ixapa•

El Baul•

EL SALVADOR

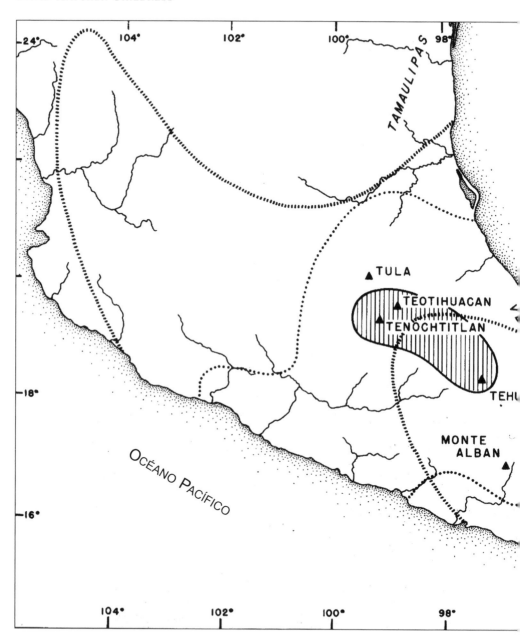

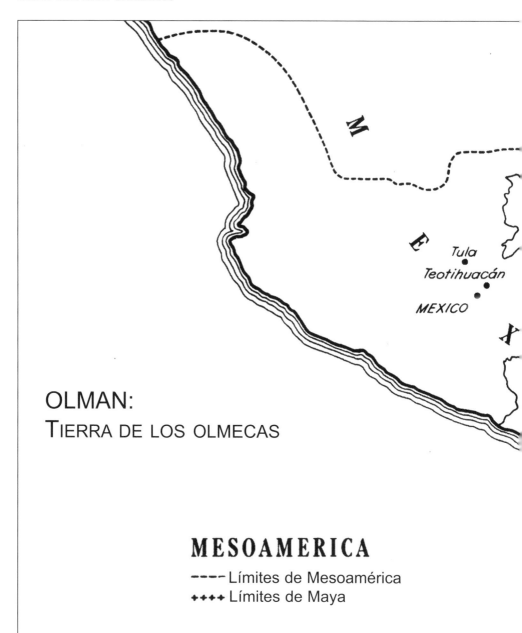

OLMAN:
TIERRA DE LOS OLMECAS

MESOAMERICA
- - - - Límites de Mesoamérica
++++ Límites de Maya

Pánuco

El Opeño

Papantla
Tecolutla
Nautla
Misantla

Teotihuacán
Jalapa
Chalahuite

Calixtlahuaca
Totomihuacan
Remojadas
El Mangal
Boca del E

Gualupita
Cholula
Córdoba
Viejón
Tlaliscoyan

Tenango del Valle
Amalucan
Orizaba
Alvarado

Atlihuayán
Chalcatzingo
C.Mesas
El Trapiche

Taxco
Cuauhtochco
Amatitlán

Iguala
Las Bocas
Tehuacán

Diquiyú
Tamazulapa
Coixtlahuaca

Petatlán
Tlapa
Tlitepec
Yucuñudahui

Zumpango del Rio
Huamelulpan
Yanhuitlán

S. Jerónimo
Monte Negro
Monte Albán

Yagul

Caballito Blanco

Jamiltepec
Ton

El Arbolillo
Ticomán
Zacatenco

Tlatilco
Atoto

MEXICO
Chimalhuacán
El Tepalcate

Tetelpan

Copilco
Cuicuilco
Culhuacán
Tlapacoya

O      10 Km.

**TERRITORIO OLMECA Y SITIOS OLMECAS DE ACUERDO A IGNACIO BERNAL, 1968.**

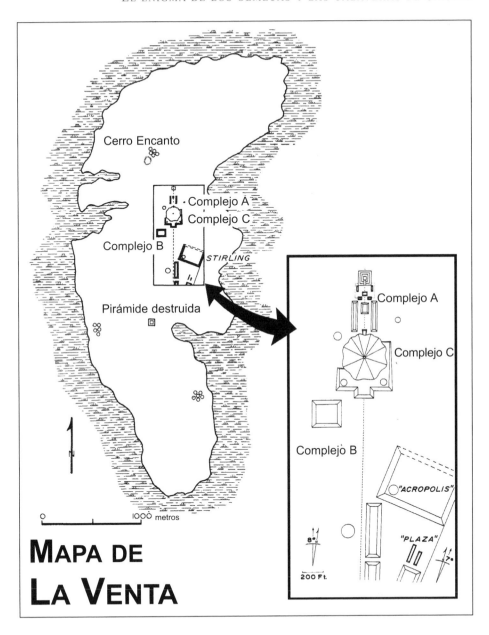

Cerro Encanto

Complejo A
Complejo C

Complejo B

*STIRLING*

Pirámide destruida

1000 metros

# MAPA DE
# LA VENTA

Complejo A

Complejo C

Complejo B

*"ACROPOLIS"*

*"PLAZA"*

8°

200 Ft.

# Mapa de Los Tres Zapotes

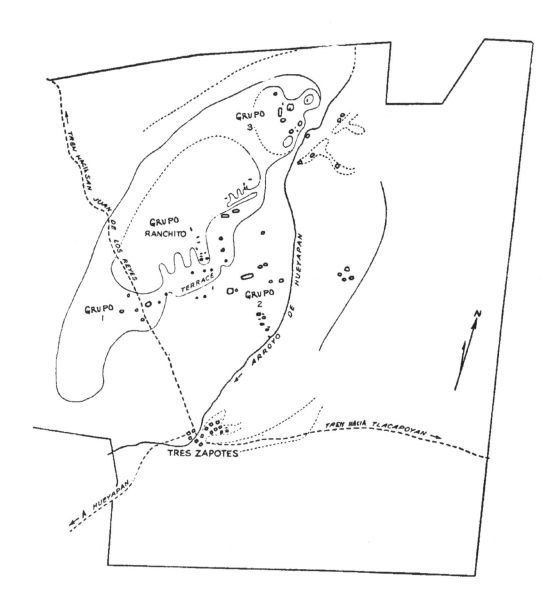

# Mapa de la
# Laguna de los Cerros

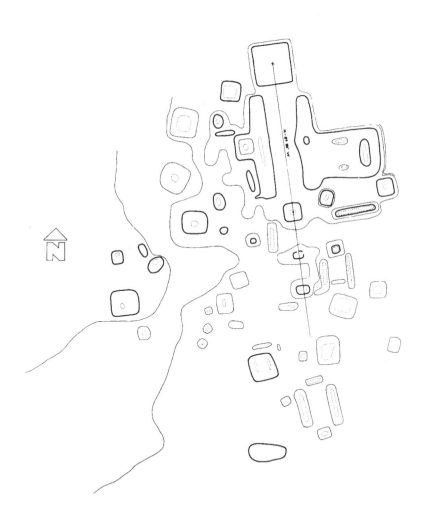

# Apéndice 5

# Documentación gráfica

Enormes columnas de basalto descubiertas en La Venta.

Altar religioso
encontrado en
Potrero Nuevo.

Más columnas de basalto,
pero halladas en Tabasco, México.

Estatuillas olmecas de jade.
Conviene prestar atención a los rasgos faciales y
a la forma alargada de sus cabezas.

Imagen en piedra de los olmecas
que representa a un mono.
Se encuentra en Tuxla, México.

Relieve olmeca hallado en Villahermosa.

Relieves hallados en el Monte Alban.

Detalle de los relieves que se encuentran en el
Altar 5 de La Venta.

Cabeza Número 4 encontrada en San Lorenzo.

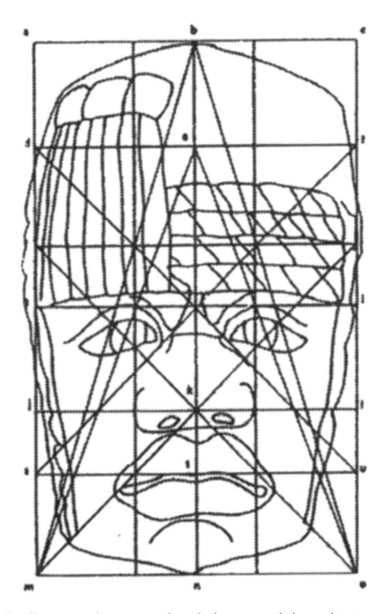

Las líneas trazadas muestras las relaciones geométricas existentes.
Además puede notarse una simetría casi perfecta entre ambos lados de la cara.

Vista del lado izquierdo de la Cabeza Número 4 encontarda en San Lorenzo.

Vista del lado derecho de la Cabeza Número 4 encontarda en San Lorenzo.

Cabeza expuesta en el Museo de Xalapa.

Cabeza encontarda en Villahermosa.
Conviene advertir los rasgos negroides que presenta.

Resto hallado en Villahermosa.

Resto olmeca hallado en Villahermosa que muestra
la figura de un hombre cargando a un bebé.

Resto con la famosa posición *quizuo* hallado en Villahermosa.

Resto hallado en Villahermosa. También mantiene la posición *quizuo*.

Altar hallado en Villahermosa. La figura, como puede verse,
tiene una variante de la posición *quizuo*.

Estatuillas olmecas expuestas en el Museo de Xalapa.
Resultan bastante evidentes los rasgos chinos en ambos casos.

Cabezas trepanadas
encontradas en Ica, Perú.

Estatuillas con hendiduras en la cabeza
encontradas en Jalapa, Guatemala.

El ídolo olmeca de San Martín Pajapan, fue encontrado
en las montañas de Tuxtla, en Veracruz, México.

Cerámica olmeca
que representa a un jaguar.

Instrumentos musicales expuestos
en el Museo de México.

Hallazgo de un monumento olmeca en Monte Alto, Guatemala.

# Bibliografía

ARNAIZ-VILLENA, A.; VARGAS-ALARCON, G.; GRANADOS, J.; GOMEZ-CASADO, E.; LONGAS, J.; GONZALES-HEVILLA, M.; ZUNIGA, J.; SALGADO, N.; HERNANDEZ-PACHECO, G.; GUILLEN, J.; MARTINEZ-LASO, J.; *HLA genes in Mexican Mazatecans, the peopling of the Americas and the uniqueness of Amerindians.* Entrada bibliográfica en PubMed.

CAMPBELL, L., y KAUFMAN, T. «A Linguistic Look at the Olmecs», *American Antiquity*, 41, 1976.

COE, M.D., «San Lorenzo and the Olmec Civilization», en *Dumbarton Oaks Conference on the Olmec*, Dumbarton Oaks, Washingon, D.C., 1967.
---., *Mexico: From the Olmecs to the Aztecs*, Thames and Hudson, Londres, 2002; pp. 64, 75-76.

DIEHL, Richard A., *The Olmecs: America's First Civilization*, Thames & Hudson, Londres, 2004.

FAGAN, Brian, *Kingdoms of Gold, Kingdoms of Jade*, Thames and Hudson, Londres, 1991.

GROVE, D. C., «Olmec monuments: Mutilation as a clue to meaning», en *The Olmec and their Neighbors: Essays in Memory of Matthew W. Stirling.*, E. P. Benson, ed., Dumbarton Oaks Research Library, Washington, D.C., 1981; pp. 49–68.

GUIMARÄES, A. P., «Mexico and the early history of magnetism», en *Revista mexicana de Física*, v 50 (1), junio de 2004; pp. 51 - 53.

MAGNI, Caterina, *Les Olmèques. Des origines au mythe*, Seuil, París, 2003.

NIEDERBERGER BETTON, Christine, *Paléopaysages et archéologie pré-urbaine du bassin de México. Tomes I & II,* publicado por el Centro Francés de Estudios Mexicanos y Centroamericanos, Mexico, D.F., 1987 (Compendio).

STIRLING, Matthew, «Early History of the Olmec Problem», en *Dumbarton Oaks Conference on the Olmec*, E. Benson, ed., Dumbarton Oaks, Washingon, D.C., 1967.

STOLTMAN, J. B.; MARCUS, J.; FLANNERY, K. V.; BURTON, J. H.; MOYLE, R. G., «Petrographic evidence shows that pottery exchange between the Olmec and their neighbors was two-way», en *Proceedings of the National Academy of Sciences of the United States of America*, 9 de agosto de 2005, v. 102, n. 32, pp. 11213-11218.

Taube, Karl, «The Origin and Development of Olmec Research», en *Olmec Art at Dumbarton Oaks*, Dumbarton Oaks, Washington, D.C., 2004.

WILFORD, John Noble, «Mother Culture, or Only a Sister?», *The New York Times,* 15 de marzo de 2005.